편입수학만을 위한 스킬편입수학교재

편입수학
선적분, 면적분

skill-math

스킬편입수학
연구소

편입수학-선적분,면적분

발 행 | 2024년 2월 14일
저 자 | 스킬편입수학 연구소
펴낸이 | 한건희
펴낸곳 | 주식회사 부크크
출판사등록 | 2014.07.15.(제2014-16호)
주 소 | 서울특별시 금천구 가산디지털1로 119 SK트윈타워 A동 305호
전 화 | 1670-8316
이메일 | info@bookk.co.kr

ISBN | 979-11-410-7169-1

<선적분>

*벡터함수

$v(t) = f(t)i + g(t)j = (f(t), g(t))$: 평면상 곡선

$v(t) = f(t)i + g(t)j + h(t)k = (f(t), g(t), h(t))$: 공간상 곡선

*벡터장

R^2상의 벡터장은 D에 속하는 각각의 점 (x,y)에 대하여 2차원 벡터 $F(x,y)$를 대응시키는 함수 F이다.

$F(x,y) = P(x,y)i + Q(x,y)j = <P(x,y), Q(x,y)>$

*벡터장의 발산(divergence)

: 벡터함수(벡터장) $F(x,y,z) = F_1(x,y,z)i + F_2(x,y,z)j + F_3(x,y,z)k$

함수 F의 발산(divergence): $divF = \nabla \cdot F = \dfrac{\partial F_1}{\partial x} + \dfrac{\partial F_2}{\partial y} + \dfrac{\partial F_3}{\partial z}$ (결과는 스칼라 값)

또한, ∇의 의미는 $\left(\dfrac{\partial}{\partial x}, \dfrac{\partial}{\partial y}, \dfrac{\partial}{\partial z} \right)$이고 $divF = \nabla \cdot F = 0$일 때

$F(x,y,z)$를 '비압축장'이라 한다.

*회전(curl or rotation)

직교좌표 x, y, z에 대해, $F(x,y,z) = (v_1, v_2, v_3) = v_1 i + v_2 j + v_3 k$ 미분가능한 벡터함수라 하고, v_1, v_2, v_3를 F의 성분이라 하자.

$$curlF = \nabla \times F = \begin{vmatrix} i & j & k \\ \dfrac{\partial}{\partial x} & \dfrac{\partial}{\partial y} & \dfrac{\partial}{\partial z} \\ v_1 & v_2 & v_3 \end{vmatrix} = \left(\dfrac{\partial v_3}{\partial y} - \dfrac{\partial v_2}{\partial z} \right)i + \left(\dfrac{\partial v_1}{\partial z} - \dfrac{\partial v_3}{\partial x} \right)j + \left(\dfrac{\partial v_2}{\partial x} - \dfrac{\partial v_1}{\partial y} \right)k$$

를 벡터함수 F의 회전(curl) 즉, 주어진 벡터장의 회전이라고 한다.

만일 $f(x,y,z)$가 두번 미분가능인 함수이면, $div(gradf) = \dfrac{\partial^2 f}{\partial x^2} + \dfrac{\partial^2 f}{\partial y^2} + \dfrac{\partial^2 f}{\partial z^2} = \nabla^2 f$

13과기대

1. 다음 그림이 나타내는 벡터장 F는?

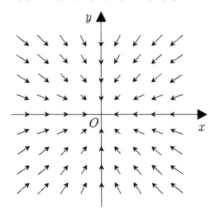

① $F = xi + yj$ ② $F = -xi - yj$ ③ $F = xi - yj$ ④ $F = -xi + yj$

선적분: 곡선에 따라 변화하는 함수의 적분

1.1 스칼라함수의 선적분

적분경로 C: $r(t) = (x(t), y(t), z(t))\, (a \leq t \leq b)$

$$\int_C f(x,y,z)ds = \int_a^b f(x(t),y(t),z(t)) \sqrt{\left(\frac{dx}{dt}\right)^2 + \left(\frac{dy}{dt}\right)^2 + \left(\frac{dz}{dt}\right)^2}\, dt$$
$$= \int_a^b f(r(t)) \left| r'(t) \right| dt$$

1.2 벡터함수에서의 선적분

적분경로 C: $r(t) = (x(t), y(t), z(t))\, (a \leq t \leq b)$

(1) $\vec{F}$가 x, y, z의 함수로 주어진 경우

$$\int_C \vec{F} \circ d\vec{R} = \int_C F_1 dx + F_2 dy + F_3 dz$$

(2) $\vec{F}$가 매개변수 t의 함수로 주어진 경우

$$\int_C \vec{F} \circ d\vec{R} = \int_C \left(F_1 \frac{dx}{dt} + F_2 \frac{dy}{dt} + F_3 \frac{dz}{dt} \right) dt$$

---

*포텐셜함수

벡터함수 $\vec{F}$가 어떤 스칼라함수 f의 구배로 주어졌을 때,

즉 $\vec{F} = \vec{\nabla} f$일 때 f를 $\vec{F}$의 포텐셜함수이다.(음수도 가능)

이때, 벡터장 $\vec{F}$는 어떤 점을 출발하여 에너지 손실 없이 다시 처음의
위치로 되돌아 올 수 있다는 것을 의미하고 보존적(*conservative*)이라 한다.
단순연결영역 D에서 벡터장 $F(x,y) = P(x,y)i + Q(x,y)j$이고,

P와 Q는 연속인 1계편도함수를 갖고 D상에서 $\dfrac{\partial P}{\partial y} = \dfrac{\partial Q}{\partial x}$ 가 성립하면 F는 보존적 벡터장
이다. 또한, 단순연결영역 D에서 벡터장 $F(x,y,z) = P(x,y,z)i + Q(x,y,z)j + R(x,y,z)k$ 이고

P, Q, R이 연속인 1계편도함수를 가질 때, F가 보존적 벡터장이기 위한 필요충분조건은

$curl F = \begin{vmatrix} i & j & k \\ \dfrac{\partial}{\partial x} & \dfrac{\partial}{\partial y} & \dfrac{\partial}{\partial z} \\ P & Q & R \end{vmatrix} = (0,0,0)$ 이고 F는 비회전적이라 한다.

즉, $\dfrac{\partial P}{\partial y} = \dfrac{\partial Q}{\partial x}$, $\dfrac{\partial P}{\partial z} = \dfrac{\partial R}{\partial x}$, $\dfrac{\partial Q}{\partial z} = \dfrac{\partial R}{\partial y}$ 이다.

1.3 포텐셜 함수의 선적분

적분로 $C: r(t) = A(t)i + B(t)j \ (t_1 \le t \le t_2)$를 따라 벡터장 $F(x,y) = P(x,y)i + Q(x,y)j$의

선적분 : $\displaystyle\int_C F \circ dr = \int_C P(x,y)dx + Q(x,y)dy$ 에서 $\dfrac{\partial P}{\partial y} = \dfrac{\partial Q}{\partial x}$ 이라면 $r(t_1)$과 $r(t_2)$를
움직일때 '에너지 보존'됨을 의미한다.

따라서, $\displaystyle\int_C F \circ dr = f(종점) - f(시점)$

1.4 그린(Green)정리

C는 평면에 놓인 반시계방향(양의 방향)을 갖는 단순폐곡선이라 하고, D는 C에 의해
둘러싸인 영역이다. P와 Q가 D를 포함하는 열린 영역 위에서 연속인 편도함수를 가지면

$\displaystyle\int_C Pdx + Qdy = \iint_D \left(\dfrac{\partial Q}{\partial x} - \dfrac{\partial P}{\partial y} \right) dA$ 이다.

※ $\displaystyle\oint_C Pdx + Qdy$는 선적분이 닫힌 곡선 C의 반시계방향을 뜻한다.

---

1. $\left(x\tan y + \sec^2 x\right)i + \left(\dfrac{1}{2}x^2\sec^2 y + \pi y\right)j = \nabla f(x,y)$에서 $f(x,y)$가 존재하는지 확인하고 존재한다면 $f(x,y)$를 구하시오.

Ans. $f(x,y) = \dfrac{1}{2}x^2\tan y + \tan x + \dfrac{1}{2}\pi y^2 + C$

2. $\left(3x^2 + 6xy\right)i + \left(3x^2 - 4y^3\right)j = \nabla f(x,y)$에서 $f(x,y)$ 존재 여부와 그 값을 구하라.

Ans. $f(x,y) = x^3 + 3x^2 y - y^4 + C$

3. $ye^x i + \left(2y + xe^x\right)j = \nabla f(x,y)$에서 $f(x,y)$가 존재하는지 확인하라.

Ans. 존재하지 않는다.

4. $\cos\pi y\, i - \pi x\sin\pi y\, j = \nabla f(x,y)$의 $f(x,y)$가 존재하는지, 그 값은 얼마인지 구하라.

Ans. $f(x,y) = x\cos\pi y + C$

07건대

5. 다음 벡터장 중에서 포텐셜 함수를 갖지않는 것은?

① $F(x,y) = (x,y)$ ② $F(x,y) = (y,x)$ ③ $F(x,y) = (-y,x)$ ④ $F(x,y) = (x^2+y^2, 2xy)$

6. 곡선 $C: x = \cos t,\ y = \sin t,\ \left(0 \le t \le \dfrac{\pi}{2}\right)$에 대하여

함수 $f(x,y) = 2xy^2$의 선적분 $\displaystyle\int_C f\,dr$을 구하시오.

Ans. 2/3

7. 선적분 $\int_C y e^x ds$ 을 계산하시오. 여기서 C는 반원 $x^2 + y^2 = 1\,(y \geq 0)$을 나타내는 곡선이다.

(1) $e - \dfrac{1}{e}$ (2) $-e + \dfrac{1}{e}$ (3) $-e - \dfrac{1}{e}$ (4) $e + \dfrac{1}{e}$

$Ans.\,(1)$

8. 곡선 $y = e^{-x}$을 따라 $0 \leq x \leq \dfrac{1}{4}$ 부분에서 힘 $F(x,y) = y^4 i + 2y^3 j$가 행한 일을 구하여라.

$Ans.\,\dfrac{1}{4}\left(e^{-1} - 1\right)$

9. $F = \dfrac{3}{2}i + \dfrac{1}{2}j$ 가 $r(t) = \cos t\, i + \sin t\, j\,(0 \le t \le \pi)$ 로 정의된 곡선 C 를 따라서 한일 $\displaystyle\int_C F\, dr = ?$

$Ans. -3$

10. 적분로 $C: x = \cos t, y = \sin t \left(0 \le t \le \dfrac{\pi}{2}\right)$ 에 관한 선적분 $\displaystyle\int_C 2xy\, dx + (x^2 + y^2)\, dy$

$Ans.\, 1/3$

11. $F(x,y,z) = xi + yj + zk$ 일 때, $\displaystyle\int_C F \cdot dr$ 을 구하시오.

(단, 곡선 C 는 $r(t) = 2\cos t\, i + 2\sin t\, j + t k$, $0 \le t \le 2\pi$ 로 주어진 원의 나선 모양이며 방향은 t 가 증가하는 방향이다.)

(1) $2\pi^2$ (2) $3\pi^2$ (3) $4\pi^2$ (4) $5\pi^2$ (5) $6\pi^2$

$Ans.\,(1)$

12. 곡선 $C: x = \cos t,\, y = \sin t,\, 0 \le t \le \dfrac{\pi}{2}$에 대하여 $\displaystyle\int_C \dfrac{-x}{x^2+y^2}\,dx + \dfrac{y}{x^2+y^2}\,dy$의 값을 구하시오.

(1) $\dfrac{1}{2}$ (2) 1 (3) 2 (4) -2

$Ans.\,(2)$

13. 적분로 $C: x = \cos t,\, y = \sin t,\, \left(0 \le t \le \dfrac{\pi}{2}\right)$에 관한 선적분 $\displaystyle\int_C 2xy\,dx + (x^2 + y^2)\,dy = ?$

$Ans.\,1/3$

14. 적분로 C는 구간 $0 \le t \le \pi$에서 함수 $C(t) = (\cos t, \sin t)$로 주어질 때
   선적분 $\displaystyle\int_C ye^{xy}dx + xe^{xy}dy = ?$

   $Ans.0$

15. $C : r(t) = t^2 i - t^3 j \ (0 \le t \le 1)$로 주어진 적분로에서 벡터장 $F(x,y) = \cos\pi y i - \pi x \sin\pi y j$의

   선적분은?

   $Ans. -1$

16. 다음 선적분 $\displaystyle\int_C 2xyz^2 dx + (x^2 z^2 + z\cos yz)dy + (2x^2 yz + y\cos yz)dz$의 피적분함수는 완전함

   을 보이고 $A(0,0,1)$에서 점 $B\left(1, \dfrac{\pi}{4}, 2\right)$까지의 선적분의 값을 구하여라.

   $Ans. \pi + 1$

17. $\displaystyle\int_{(0,0)}^{(1,2)}(3x^2+6xy)dx+(3x^2-4y^3)dy$ 의 값을 구하여라.

$Ans. -9$

18. 2차원 벡터함수 $F=2y^3i+(x^2+3y^2x)j$, C가 $x^2 \le y \le x$, $y \ge 0$인 영역의 둘레를 반시계 방향으로 도는 궤선일때, $\displaystyle\oint_C Fdr$을 구하여라.

$Ans. 5/84$

19. C는 원 $(x+1)^2 + (y-2)^2 = 9$의 둘레를 반시계 방향으로도는 궤선일 때,
선적분 $\oint_C (4xy+y^2)dx - (xy+3x^2)dy$의 값을 구하여라.

Ans. 36π

20. C는 $(0,0), (2,0), (2,3), (0,3)$을 꼭지점으로 가진 사각형의 둘레를 반시계방향으로 도는 궤선이고, 힘은 $F = x(5y+2)i + 6yj$일 때, 일 $\oint_C Fdr$을 구하여라.

Ans. -30

21. $C : x = \sqrt{2}\cos t, y = \sqrt{2}\sin t \, (0 \leq t \leq 2\pi)$에 대하여 $\int_C (-2x-y^3)dx + x^3 dy = ?$

Ans. 6π

22. C를 $y = x^2$과 $y = 1$로 둘러싸인 영역의 둘레를 반시계방향으로 도는 궤선이라 할때

$$\int_C (e^{x^2} + 2xy)dx + (x^3 + \sin y)dy = ?$$
*Ans.*4/5

23. 단위원 C에 대해 선적분 값이 다른 것은?

① $\oint_C (x^3 + 3xy^2)dx + (3x^2y + y^3)dy$

② $\oint_C (-y)dy + xdx$

③ $\oint_C (re^{-2\theta})dr - (r^2 e^{-2\theta})d\theta$

④ $\oint_C (ye^x)dx + (xe^x)dy$

*Ans.*④

24. 한 변의 길이가 1인 정삼각형의 경계를 C라 할 때 $\int_C xdy - ydx$의 값을 구하여라.

(단, C의 방향은 시계 반대방향이다.)
Ans. $\sqrt{3}/2$

25. 평면 위에서 원점을 중심으로 반지름 2인 시계 방향으로 한 번 회전하는 원을 C라고 하자. 다음 적분값은?

$$\int_C -\frac{y}{x^2+y^2}dx + \frac{x}{x^2+y^2}dy$$

(1) -2π　(2) 0　(3) 2π　(4)4π

26. 곡선 C를 타원 $\frac{x^2}{2}+\frac{y^2}{3}=1$ 이라 할 때 선적분 $\int_C \frac{-ydx+xdy}{x^2+y^2}$ 의 값을 계산하면?
(단, 선적분은 반시계방향으로 한다)
(1)　0　(2) π　(3) 2π　(4) 4π

27. xy평면 위의 곡선 C가 중심이 $(1,1)$이고 반지름이 1인 원일 때, $\oint_C \frac{-y}{x^2+y^2}dx + \frac{x}{x^2+y^2}dy$의 값은?
(1)　0　(2)　1　(3)　-1　(4)　2π

28. 평면 위의 곡선 C가 닫힌구간 $[0, 2\pi]$에서 정의된 벡터함수

$$r(t) = (1 + 2\pi t - t^2)(\cos t, \sin t)$$

로 주어질 때, C위에서 벡터장 $F(x, y) = \dfrac{1}{x^2 + y^2}(-y, x)$의 선적분 $\displaystyle\int_C F \cdot dr$의 값을 구하면?

Ans. 2π

20이대

29. 좌표 평면의 원점을 제외한 모든 부분에서 정의된 두 함수 $P(x, y) = -y/(x^2 + y^2)$, $Q(x, y) = x/(x^2 + y^2)$를 생각하자. C_1을 중심이 $(2020, 2020)$이고 반지름이 2020인 원이라 하고 C_2를 중심이 $(2020, 2020)$이고 반지름이 4040인 원이라 하자. 이 두 원에 시계반대 방향의 향($ORIENTATION$)이 주어져 있을때, 선적분 $\displaystyle\int_{C_1} Pdx + Qdy$의 값을 a_1이라 하고, 선적분 $\displaystyle\int_{C_2} Pdx + Qdy$의 값을 a_2라 하자. 이 때, $a_1 - a_2$의 값을 구하시오.

① 0 ② -2020π ③ -4040π ④ 2π ⑤ -2π

Ans. ⑤

18인하

30. 곡선 C는 직교좌표평면에서 점 $(1,-1)$에서 $(1,1)$까지 잇는 곡선으로 극방정식으로는

$r = 2\cos\theta, \ -\dfrac{\pi}{4} \le \theta \le \dfrac{\pi}{4}$ 와 같이 주어진다. 이 때 선적분 $\displaystyle\int_C \dfrac{(x-y)dx + (x+y)dy}{x^2+y^2}$ 의 값은?

(1) $\dfrac{\pi}{6}$ (2) $\dfrac{\pi}{4} - \dfrac{1}{2}$ (3) $\dfrac{\pi}{3} - \dfrac{1}{2}$ (4) $\dfrac{\pi}{3}$ (5) $\dfrac{\pi}{2}$

Ans. ⑤

31. 좌표평면 위의 점 $(1, 0)$을 출발하여 곡선 $x^3 + y^3 = 1$을 따라 움직여 점 $(0, 1)$에서 끝나는 경로 C에 대하여 경로

적분 $\displaystyle\int_C -\frac{2y}{x^2 + y^2}dx + \frac{2x}{x^2 + y^2}dy$ 의 값을 구하시오.

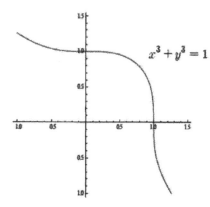

① π ② 2π ③ 3π ④ 4π

*Ans.*①

32. 곡선 C를 타원 $x^2 + 4y^2 = 4$이라 할 때, 선적분 $\displaystyle\int_C \frac{-2y}{(x-1)^2 + y^2}dx + \frac{2(x-1)}{(x-1)^2 + y^2}dy$ 의 값을 계산하면? (단, 선적분은 반시계방향으로 한다.)

Ans.4π

20과기대

33. 네 점$(10,10)$, $(-10,10)$, $(-10,-10)$, $(10,-10)$ 을 꼭짓점으로 하는 사각형의 경계를 반시계 방향으로 한 바퀴 도는 곡선 C와 벡터장

$$\vec{F} = \frac{1}{(x-1)^2+(y-1)^2}<1-y, x-1> + \frac{1}{(x+1)^2+(y+1)^2}<-1-y, x+1>$$

에 대하여 $\displaystyle\int_C \vec{F} \cdot \vec{dr}$ 의 값은?

① 0 ② 2π ③ -2π ④ 4π

Ans. ④

34. C가 중심을 원점으로 하고, 반지름이 1인 반원일 때, 그림과 같이 C를 따라 시계반대방향으로 계산한 선적분의 값은? ([참고] C는 시점이 $(1,0)$이며 종점은 $(-1,0)$이다.)

$$\int_C -2y\cos^2 x\, dx + (x - \sin x \cos x)\, dy$$

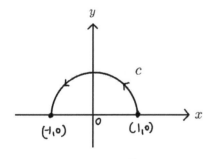

(1) 0 (2) $\dfrac{\pi}{2}$ (3) π (4) 2π

19과기대

35. 곡선 C가 $x^2 + y^2 = 9$일 때, $\oint_C (3y + e^{\sin x})dx + (7x - \sqrt{y^4 + 1})dy$는?

① 9π ② 18π ③ 27π ④ 36π

Ans. ④

16과기대

36. 곡선 C가 점$(0,0)$에서 출발하여 $(2\pi, 0)$에 이르는 사이클로이드 $x = \theta - \sin\theta, y = 1 - \cos\theta$일 때, 다음 선적분을 계산하면?

$$\int_C (e^x \sin y + x)dx + (e^x \cos y + \tan^{-1} y)dy$$

① 0 ② 2π ③ -2π ④ $2\pi^2$

Ans. ④

15과기

37. 곡선 C는 점$(5,0)$에서 출발하여 중심이 원점이고 반지름이 5인 원을 따라서 반시계방향으로 반 바퀴 돌아서 $(-5,0)$에 이르는 경로이다.

선적분 $\displaystyle\int_C x^2 dx + (x + \tan^{-1}y)dy$를 계산하면?

① $\dfrac{25}{2}\pi$ ② $-\dfrac{25}{2}\pi$ ③ $\dfrac{25}{2}\pi - \dfrac{250}{3}$ ④ $\dfrac{25}{2}\pi + \dfrac{250}{3}$

$Ans.$ ③

38. C가 원통 $x^2 + y^2 = 1$과 평면 $y + z = 2$가 만나 이루는 폐곡선이라 할 때, 다음 선적분을 구하여라.

$$\oint_C z dx + x dy + 2y dz$$

$Ans. 2\pi$

39. 극좌표 방정식 $r = 2 + \cos\theta$, $0 \le \theta \le 2\pi$로 주어진 곡선 C위에서 선적분

$$\oint_C xdy - ydx$$의 값은?

$Ans.\,9\pi$

20한양

40. 원 $x^2 + y^2 = 4$를 시계반대방향으로 한 바퀴 도는 곡선을 C라 할 때, $\oint_C (x - y^3)dx + x^3 dy$의 값은?

① 12π ② 15π ③ 18π ④ 21π ⑤ 24π

$Ans.\,⑤$

18한양

41. C는 포물선 $y = x^2$ 위의 점$(0,0)$에서 점$(1,1)$ 까지의 호일 때, 다음 선적분의 값 중에서 가장 큰 것은?

(단, $\int_C f(x,y)ds$는 $f(x,y)$ 의 호의 길이에 대한 선적분이다.)

① $\int_C xdy$ ② $\int_C ydx$ ③ $\int_C xds$ ④ $\int_C yds$

$Ans.\,③$

18한양

42. C 가 두 원 $x^2+y^2=1$ 과 $x^2+y^2=4$ 사이의 영역 D 의 경계로 이루어진 양의 방향을 갖는 곡선 일 때, 선적분 $\displaystyle\int_C (e^{\cos x}+y^3)dx+(\sqrt{y^4+1}+2xy^2)dy$ 의 값은?

① $-\dfrac{15}{4}\pi$ ② $-\dfrac{5}{2}\pi$ ③ $\dfrac{5}{2}\pi$ ④ $\dfrac{15}{4}\pi$

*Ans.*①

14한양

43. 공간곡선 C 가 벡터함수

$r(t) = <t^3, t, -t>$ 로 주어졌을 때,

점$(0,0,0)$에서 점$(1,1,-1)$까지의 선적분 $\displaystyle\int_C x^2yz\,dz$ 의 값은?

① $\dfrac{1}{9}$ ② $\dfrac{1}{4}$ ③ 1 ④ $\dfrac{3}{2}$

*Ans.*①

14한양

44. 두 포물선 $y=x^2$ 과 $x=y^2$ 로 둘러싸인 영역의 경계를 반시계 방향으로 한 바퀴 도는 경로를 C 라 할 때, $\displaystyle\int_C (y+e^{\sqrt{x}})dx+(2x+\cos y^2)dy$ 의 값은?

① $\dfrac{1}{4}$ ② $\dfrac{1}{3}$ ③ $\dfrac{2}{3}$ ④ $\dfrac{1}{2}$

*Ans.*②

19성대

45. 닫힌 곡선 C가 좌표평면에서 식 $x^2 + y^2 = 16$으로 정의되고 반시계 방향을 갖는다고 할 때, 다음 선적분의 값은?

$$\oint_C (3y - \sin x)dx + (7x + y^{2019})dy$$

① 16π ② 32π ③ 48π ④ 64π ⑤ 80π

*Ans.*④

17성대

46. 다음 선적분의 값은? (여기서 $C: x^2 + y^2 = 1$은 단위원이다.)

$$\int_C (e^x \sin x - y)dx + (x^2 + \sqrt{y^2 + 1})dy$$

① $\dfrac{\pi}{2}$ ② π ③ $\dfrac{3}{2}\pi$ ④ 2π ⑤ $\dfrac{5}{2}\pi$

*Ans.*②

16성대

47. 좌표공간에서 점 $\left(0, 1, \dfrac{\pi}{2}\right)$에서 시작하여 점 $(2, \pi, 1)$에서 끝나는 임의의 곡선을 C라고 하자. 이 때, 다음 선적분의 값은?

$$\int_C 3x^2 dx + z\cos(yz)dy + y\cos(yz)dz$$

① 8 ② 7 ③ 6 ④ 5 ⑤ 4

*Ans.*②

15성대

48. 좌표평면위에 벡터장 $F(x,y) = \left(x^{2015} - y,\, x - y^{2015}\right)$이 작용한다고 하자. 중심이 원점인 단위원 둘레를 입자가 반시계방향으로 두 바퀴 돌 때 하는 일의 총양은?

① π ② 2π ③ 3π ④ 4π ⑤ 5π

*Ans.*④

15서강

49. 양의 방향을 갖는 매끄러운 단순폐곡선 C에 대하여 선적분 $\oint_C 3y^3 dx + \left(x - \dfrac{4}{3}x^3\right)dy$ 의 값이 최대가 되는 곡선 C에 의해서 둘러싸인 영역 D의 넓이는?

① $\dfrac{\pi}{6}$ ② $\dfrac{\pi}{3}$ ③ $\dfrac{\pi}{2}$ ④ π

*Ans.*①

16홍대

50. 벡터 함수

$\vec{G}(x,y,z) = xyze^{x+2y}(x, x+y, z^2)$에 대하여 벡터 함수

$\vec{F}(x,y,z) = (x, 2y, 3z) + (\triangledown \times \vec{G})(x,y,z)$ 를 정의 할 때, $(\triangledown \cdot \vec{F})(0,0,0)$의 값을 구하시오.

① 2   ② 4   ③ 6   ④ 8

*Ans.*③

17중대

51. 곡선 C는

$C = \{(x,y) \in R^2 | x = \cos\theta, y = \sin\theta, 0 \le \theta \le \pi\}$인 반원이며, 반시계 방향이 주어져 있다.이

때, $\oint_C (y + x^2)dx + (2x + \sqrt[3]{\sin y^3 + e^{y^2}})dy$의 값은?

① 0   ② $\dfrac{\pi}{2} - \dfrac{2}{3}$ ③ $\dfrac{\pi}{3} - \dfrac{2}{5}$ ④ $\dfrac{\pi-1}{2}$

*Ans.*②

17항공

52. 아래 그림에서 $(0,0)$에서 $(2,1)$에 이르는 두 경로 a와 b에 대한 적분

$I=\displaystyle\int \left(x^2ydx-xdy\right)$의 값은? (단, I_a는 경로 a에 따른 적분 값. I_b는 경로 b에 따른

적분값이다.)

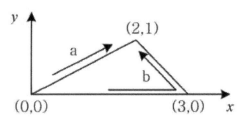

① $I_a=1, I_b=-\dfrac{21}{4}$ ② $I_a=1, I_b=-\dfrac{13}{4}$ ③ $I_a=-\dfrac{3}{2}, I_b=-\dfrac{13}{4}$ ④ $I_a=-\dfrac{3}{2}, I_b=-\dfrac{21}{4}$

$Ans.$①

18항공

53. 곡선 C는 점 $(0,0)$에서 $(1,1)$까지 $y=\sqrt{x}$의 경로에 따라 움직일 때,

$\displaystyle\int_C \left(x^2+y^2\right)dx-2xydy$의 값은?

① $\dfrac{1}{5}$ ② 1 ③ $\dfrac{1}{3}$ ④ $\dfrac{1}{7}$

$Ans.$③

19국민

54. C를 벡터함수 $x(t)$, $a \leq t \leq b$로 주어진 부드러운 곡선이라고 할 때, 다음 중 선적분 $\int_C F \cdot dx$가 경로에 독립인 벡터장 F를 모두 고른 것은?

ㄱ. $F(x,y) = -\dfrac{y}{x^2+y^2}e_1 + \dfrac{x}{x^2+y^2}e_2$

ㄴ. $F(x,y) = e^x \cos y\, e_1 + e^x \sin y\, e_2$

ㄷ. $F(x,y) = \dfrac{y^2}{1+x^2}e_1 + 2y\tan^{-1}x\, e_2$

ㄹ. $F(x,y) = (ye^x + \sin y)e_1 + (e^x + x\cos y)e_2$

---

① ㄱ,ㄷ　② ㄱ,ㄹ　③ ㄴ,ㄷ　④ ㄷ,ㄹ

19세종

55. C가 곡선 $\sqrt{|x|} + \sqrt{y} = 1$에서 $(1,0)$부터 $(-1,0)$ 까지의 호일 때, 선적분 $\int_C (x + e^{y^3})dy$의 값을 구하면?

① $\dfrac{1}{6}$　② $\dfrac{1}{5}$　③ $\dfrac{1}{4}$　④ $\dfrac{1}{3}$　⑤ $\dfrac{1}{2}$

$Ans.$ ④

19이화

56. 2차원 평면 위에 방정식 $x^2+y^2=9$, $x \geq 0$, $y \geq 0$로 주어지고 시계방향으로

방향이 주어진 원호를 C라고 하자. 벡터장 $\vec{F}(x,y)=x^2\vec{i}+x\vec{j}$에 대하여

선적분 $\int_C \vec{F} \cdot \vec{dr}$의 값을 구하시오. (이때, $\vec{r}$은 C의 각 점마다 원점으로부터 그 점까지의

벡터를 주는 벡터함수이다.)

① $-\dfrac{9\pi}{4}$ ② $\dfrac{9\pi}{4}$ ③ 0 ④ $-9\left(\dfrac{\pi}{4}-1\right)$ ⑤ $9\left(\dfrac{\pi}{4}-1\right)$

*Ans.*④

18이대

57. X가 점 $a=(0,1,1)$에서 시작하여 $b=(1,1,0)$에서 끝나는 곡선일 때,

벡터장 $F(x,y,z)=\left(2xy+\dfrac{z}{1+x^2z^2}, x^2, \dfrac{x}{1+x^2z^2}\right)$에 대하여 선적분 $\int_X F$를 구하시오.

*Ans.*1

18건대

58. 좌표평면에서 곡선 C가 점$(-1,0)$에서 시작하여 점 $(0,1)$을 거쳐 점$(1,0)$으로 이어지는 꺾인 직선일 때, 선적분 $\int_C (1-ye^{-x})dx + e^{-x}dy$ 의 값을 구하면?

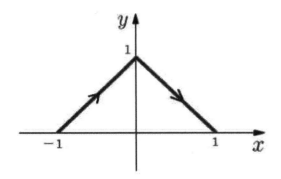

① 0 ② e^{-1} ③ 1 ④ 2 ⑤ e

$Ans.$④

18건대

59. 곡선 C는 좌표평면에서 점$(1,0)$, $(0,1)$, $(-1,0)$, $(0,-1)$을 꼭짓점으로 갖는 사각형이다. 선적분 $\oint_C -ydx + xdy$ 의 값은?

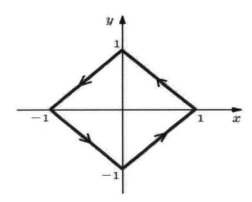

① 0 ② 1 ③ 2 ④ 3 ⑤ 4

$Ans.$⑤

18단국

60. 아래 조건을 만족시키는 실수 a, b, c에 대하여 $a(b+c)$의 값은?

> ㄱ. 점 (a, b, c)는 곡면 $S : x^2 + y^2 + z^2 = 9$위에 있고,
>
> ㄴ. 곡면 S위의 곡선 C의 시작점과 끝점이 평면 $2x + y + 2z = 0$위에 있으면
>
> $\int_C a\,dx + b\,dy + c\,dz = 0$

① 0 ② 2 ③ 4 ④ 6

Ans. ④

18단국

61. 벡터장 $F(x, y, z) = f(x, y, z)\vec{i} + g(x, y, z)\vec{j} + h(x, y, z)\vec{k}$에 대하여

$\nabla f(1, 1, 1) = \vec{i} + 2\vec{j} + 3\vec{k}$, $\nabla g(1, 1, 1) = 3\vec{i} + \vec{j} + 2\vec{k}$,

$\nabla h(1, 1, 1) = 2\vec{i} + \vec{j} + 2\vec{k}$일 때, $\operatorname{curl} F(1, 1, 1)$은?

① $\vec{i} + \vec{j} + \vec{k}$ ② $-\vec{i} + \vec{j} + \vec{k}$ ③ $-\vec{i} - \vec{j} + \vec{k}$ ④ $\vec{i} - \vec{j} - \vec{k}$

Ans. ②

인하

62. $F(x,y,z)=(x^2+y^2)i+xy\ln(z^2+1)j+e^{2z}\cos yk$의 점 $\left(1,\dfrac{\pi}{3},0\right)$에서 $divergence$는?

① $2i-j+3k$ ② $-i+j$ ③ 3 ④ -1

$Ans.$ ③

63. $\nabla f(x,y)=\left(3x^2+2xy,x^2+2\right)$이고 $f(0,0)=0$일 때, $f(1,1)$의 값은?

① -1 ② 0 ③ 1 ④ 4

$Ans.$ ④

19서강

64. 세 실수 α,β,γ에 대하여 공간 R^3에서 정의된
벡터장 $F(x,y,z)=(2xz^3+\alpha y)i+(3x+\beta yz)j+(\gamma x^2z^2+y^2)k$가 보존적 벡터장이 될 때,
$\alpha+\beta+\gamma$의 값은?
$Ans.$ 8

17서강

65. $F = (2xyz^2 - \cos x)i + (x^2 z^2)j + (2x^2 yz)k$ 로 주어진

곡선 C 가 $r(t) = (\cos^5 t, -\sin^3 t, t^5), 0 \le t \le \dfrac{\pi}{2}$ 로 주어졌다.

이 때, $I = \displaystyle\int_C F \cdot dr$ 의 값은?

① $-\sin 1$ ② $\sin 1$ ③ $-\left(\dfrac{\pi}{2}\right)^{10} - \sin 1$ ④ $-\left(\dfrac{\pi}{2}\right)^{10} + \sin 1$ ⑤ $\left(\dfrac{\pi}{2}\right)^{10} + \sin 1$

Ans. ②

66. $F = (yz + 2y)i + (xz + 2x)j + (xy + 3)k$의 포텐셜함수 f에 대해 $f(0,1,0) = 0$을 만족할 때, $f(1,1,0)$의 값을 구하면?
Ans. 2

19인하

67. C를 반시계 방향의 타원 $\{(x,y) \mid 4x^2 + 9y^2 = 25\}$라고 할 때, 선적분 $\displaystyle\int_C xdy - ydx$ 의 값은?

① $\dfrac{23}{2}\pi$ ② 8π ③ $\dfrac{25}{3}\pi$ ④ $\dfrac{26}{3}\pi$ ⑤ 9π

Ans. ③

19인하

68. D는 $y = x^2$과 $y = 1$로 둘러싸인 영역이고, C는 D의 경계이다. 곡선 C를 따라서 반시계 방향으로 움직일 때, 선적분 $\displaystyle\int_C (2x^2 y + \sin(x^2))dx + (x^3 + e^{y^2})dy$의 값은?

① 0 ② $\dfrac{2}{15}$ ③ $\dfrac{4}{15}$ ④ $\dfrac{2}{5}$ ⑤ $\dfrac{8}{15}$

$Ans.$ ③

17인하

69. 공간상에 나선 모양의 곡선 C가 다음과 같은 식으로 주어져 있다.

$C : r(t) = 3\cos t\, i + 3\sin t\, j + 4t k \,(0 \le t \le 2\pi)$ 이때, 선적분 $\displaystyle\int_C xy + z\, ds$의 값은?

ⓐ $20\pi^2$ ⓑ 24π ⓒ $24\pi^2$ ⓓ 25π ⓔ $40\pi^2$

$Ans.$ ⓔ

70. C가 점 $(3, -1)$에서 점 $(3, 1)$까지 포물선 $x = 4 - y^2$을 따라간 곡선일 때, 선적분 $\displaystyle\int_C y^3 dx - 3x^2 dy$은?

$Ans. -82$

- 32 -

71. 어떤 입자에 힘 $F = -x^2 yi + e^y j$ 을 가해 점 $(2, 0)$ 에서부터 반원 $y = \sqrt{4 - x^2}$ 을 따라 점 $(-2, 0)$ 으로 움직였을 때, 이 입자에 가해진 힘에 의한 일은?

Ans. 2π

72. 곡선 C 는 점 $(5, 0)$ 에서 출발하여 중심이 원점이고 반지름이 5인 원을 따라서 반시계방향으로 반 바퀴 돌아서 $(-5, 0)$ 에 이르는 경로이다. 선적분 $\displaystyle\int_C x^2 dx + (x + \tan^{-1} y) dy$ 를 계산하면?

Ans. $\dfrac{25\pi}{2} - \dfrac{250}{3}$

73. 곡선 $C = \{(t, t^2, t^3) | 0 \le t \le 1\}$ 를 따라가며 힘 $F(x, y, z) = e^x i + x e^{xy} j + x y e^{xyz} k$ 가 한 일은?

Ans. $\dfrac{13}{6}(e - 1)$

74. 공간곡선 C가 벡터함수 $r(t) = <t^2, t, -t>$ 로 주어졌을 때, 점 $(0,0,0)$에서 점 $(1,1,-1)$까지의 선적분 *(line integral)* $\int_C x^2 yz\, dz$의 값은?

Ans. $1/7$

75. $0 \le t \le \pi$에서 정의된 매개변수 곡선 $r(t) = (\cos^2 t, \cos t \sin t)$을 C라 하자. 벡터장 $F(x,y) = (e^x, \sin y)$에 대하여 $\int_C F \cdot dr$의 값은?

Ans. 0

76. 곡선 C의 매개변수 방정식이 아래와 같이 주어져 있다. $x(t) = \sqrt{2} \sin t \cos^2 t$, $y(t) = \sqrt{2} \sin^2 t \cos t$, $0 \le t \le \dfrac{\pi}{4}$ 벡터장 $F(x,y) = (3 + 3x^2 y)i + (x^3 + \sin(\pi y))j$의 C상에서의 선적분 값은?

Ans. $\dfrac{25}{16} + \dfrac{1}{\pi}$

77. 벡터장 $\vec{F}(x,y) = \langle e^{-y} + xe^{-x^2}, -xe^{-y} \rangle$ 에 대하여 $\vec{F}$가 단위질량의 물체를 $P(0,1)$에서 $Q(2,0)$까지 움직일 때 한 일은?

$Ans. \dfrac{5}{2} - \dfrac{1}{2}e^{-4}$

78. 평면 벡터장 F가 $F(x,y) = \left(2xy - \sin x, x^2 + \cos y\right)$이고, 세 곡선 C_1, C_2, C_3가 다음과 같이 주어졌다.

$C_1 : (0,0)$에서 $(1,1)$까지의 선분
$C_2 : \left(t, t^2\right), 0 \le t \le 1$
$C_3 : \left(\dfrac{2t}{\pi}, \sin t\right), 0 \le t \le \dfrac{\pi}{2}$

각 곡선을 따른 F의 선적분 값이 가장 큰 것은?

① C_1 ② C_2 ③ C_3 ④ 모두 같다.

$Ans.$ ④

18홍대

79. 원점을 중심으로 반지름이 1인 원을 점(1, 0)에서 시작해서 반시계방향으로 한 바퀴 도는 경로를 C라 하자. 다음 주어진 벡터장을 C를 따라 선적분한 값이 0이 아닌 것을 고르시오.

① $\langle 2xy, x^2 \rangle$ ② $\langle -e^{-x}y^2, 2e^{-x}y \rangle$ ③ $\langle e^x \sin y, e^x \cos y \rangle$ ④ $\langle -2x^2 y, 2xy^2 \rangle$

$Ans.$ ④

17홍대

80. 폐곡선 C는 점 $(0,0), (1,0), (1,1)$을 꼭짓점으로 가지는 삼각형이다. 다음 선적분을 구하시오. 단, 경로의 방향은 반시계방향이다.

$$\oint_C (e^{-y^2} - xy)dx - 2xye^{-y^2}dy$$

① $\dfrac{1}{3}$ ② $\dfrac{2}{3}$ ③ $2e^{-1} - \dfrac{1}{3}$ ④ $-e^{-1} + \dfrac{2}{3}$

$Ans.$ ①

15홍대

81. 곡선 $C = \{(x,y,z) \in R^3 | x^2 + y^2 = 1, y = z\}$를 따라서, 벡터함수 $\vec{v}(x,y,z) = (2z, 3x, 1)$를 양의 z축에서 볼 때 반시계방향으로 선적분한 값을 구하시오.

① π ② 2π ③ 3π ④ 4π

$Ans.$ ①

15홍대

82. 벡터함수 $\vec{F}(x,y) = (2y, 3x)$를 영역
$R = \{(x,y) \in R^2 | x^2 \le y \le x\}$의 둘레를 따라서 반시계 방향으로 선적분한 값을 구하시오.

① $\dfrac{1}{3}$ ② $\dfrac{1}{4}$ ③ $\dfrac{1}{5}$ ④ $\dfrac{1}{6}$

$Ans.$ ④

83. 벡터장 $F(x,y) = e^x \cos y \vec{i} + (x^2 y - e^x \sin y)\vec{j}$를 곡선 $y = 2 - x^2$을 따라서 점 $(-1,1)$에서

점 $(\sqrt{2}, 0)$까지의 선적분 $\displaystyle\int F \cdot dr$의 값을 구하면?

$Ans.$ $-\dfrac{2}{3} + e^{\sqrt{2}} - \dfrac{\cos 1}{e}$

84. 곡선 $C = \{(1-t, t, \sin(\pi t)) | 0 \le t \le 1\}$를 따라가며 힘 $F(x,y,z) = y^2 i + (2xy + e^z) j + y e^z k$가 한 일 (work)은?

$Ans.$ 1

85. 곡선 C가 매개방정식 $x = \sin(\pi t), y = 1 - t^2, z = 2t\,(0 \leq t \leq 1)$로 주어져 있을 때, 선적분 $\displaystyle\int_C (yz+1)dx + (xz+z)dy + (xy+y+2z)dz$의 값은?

Ans. 4

19중대

86.

$0 \leq t \leq 1$에서 정의된 곡선 $c(t) = (\sqrt{t}, \arcsin t, t^5)$과 벡터장 $F(x,y,z) = (e^x \sin y, e^x \cos y, z^2)$에 대한 선적분 $\displaystyle\int_c F \cdot ds$의 값은?

① $e+1$ ② $e+\dfrac{2}{3}$ ③ $e+\dfrac{1}{3}$ ④ $e+\dfrac{1}{6}$

Ans. ③

18중대

87. $xy-$평면에서 시계반대방향의 향을 갖는 단순폐곡선 C에 대하여 선적분 $\displaystyle\int_C (y^3 - 9y)dx - x^3 dy$의 최댓값은?

① $\dfrac{25}{2}\pi$ ② 9π ③ $\dfrac{27}{2}\pi$ ④ $\dfrac{45}{2}\pi$

Ans. ③

18중대(수학)

88. $x = e^{t^2} - e,\ y = \sin\dfrac{\pi}{t^2+2}$ 로 매개화된 곡선 $C\colon [0,1] \to R^2$ 위에서 정의된 벡터장

$F(x,y) = (3x^2\cos(\dfrac{\pi}{4}y),\ -\dfrac{\pi}{4}x^3\sin(\dfrac{\pi}{4}y))$의 선적분 $\displaystyle\int_C F\cdot ds$를 계산하면?

① $\dfrac{\sqrt{2}}{2}(e-1)^3$ ② $\sqrt{2}(e-1)^3$ ③ $\dfrac{\sqrt{2}}{2}(e-1)^2$ ④ $\sqrt{2}(e-1)^2$

*Ans.*①

89. $\displaystyle\int_{(0,1,1)}^{(1,2,3)} (yz+y)dx + (xz+z+x)dy + (xy+y+1)dz = ?$

*Ans.*15

15숙대

90. C가 네 점 $O(0,0), A(1,0), B(1,1), D(0,1)$을 꼭짓점으로 하는 정사각형의 둘레일 때 $\displaystyle\int_C (x-y^2)dx + (x^2+y)dy$의 값은?

① -2 ② -1 ③ 0 ④ 1 ⑤ 2

*Ans.*⑤

06중대

91.

$y = x^2$과 $y = 2x$로 둘러싸인 영역의 경계선을 C라고 하자. 단, C의 방향은 반시계 방향이다.

이 때, $\oint_C (2xy - y^2)dx$의 값은?

$Ans.\ 8/5$

12숙대

92. C가 원 $x^2 + y^2 = 1$과 $x^2 + y^2 = 4$ 사이의 상반부 평면에 있는 반고리 모양의 영역 D의 경계일 때 $\oint_C (y^2 + \sqrt{x})dx + (3xy + \sin y)dy$의 값은?

$Ans.\ 14/3$

홍대

93. 시작점이 원점이고 끝점이 $(1, 2, -1)$인 선분을 따라서 벡터장 $\overrightarrow{\nabla}(xyz)$을 선적분한 값을 구하면?

$Ans.\ -2$

중대

94. R^3에서 정의된 함수 $f(x,y,z) = e^{xyz} \left\{ \cos\left(\dfrac{\pi xy}{4}\right) + \sin\left(\dfrac{\pi yz}{4}\right) \right\}$를 점 $(1,1,0)$으로부터 점 $(0,1,1)$ 까지 잇는 선분 C를 따라 계산한 선적분 *(line integral)* $\displaystyle\int_C \nabla f \cdot dr$의 값은?

Ans. 1

중대

95. $\Omega = \left\{ (x,y) \mid x \geq 0, y \geq 0, x^2 + y^2 \leq 4, x^2 + (y-1)^2 \geq 1 \right\}$의 경계곡선을 C라 할 때, 선적분 $\displaystyle\oint_C xy\,dx + x^2\,dy$의 값은? (단, 방향은 반시계방향이다.)

Ans. 2

중대

96. C가 중심을 원점으로 하고 반지름이 1인 반원일때,

벡터장 $\vec{F}(x,y,z) = \langle y^2 z^3, 2xy^2 z^3, 3xyz^3 \rangle$ 에 대하여 다음중 옳은 것을 모두 고른것은?

가. 벡터장 $\vec{F}$는 비압축장 *(incompressible)*이다.

나. 벡터장 $\vec{F}$는 비회전장 *(irrotational)*이다.

다. 두 곡선 C_1와 C_2가 $(0,0,0)$에서 출발하여 $(1,1,1)$에 이르는 매끄러운 곡선일 때,
$\displaystyle\int_{C_1} \vec{F} \cdot \vec{dr} \neq \int_{C_2} \vec{F} \cdot \vec{dr}$ 일 수도 있다.

Ans. 다

97. 아래 그림과 같이 원점을 출발하여 $A(2,0)$를 지나 반지름이 2인 호를 따라 $B(0,2)$에 도착한 후 다시 원점으로 돌아오는 부채꼴 모양의 경로를 C라 할 때, 선적분 $\int_C \left(xy^2 dx + y dy\right)$의 값은?

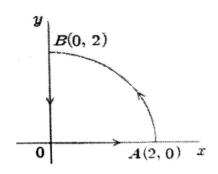

$Ans. -4$

18항공

98. 벡터함수
$$\vec{F}(x,y,z) = \left(e^y \cos z, \ x e^y \cos z, \ -x e^y \sin z\right)$$와

점 $(0,0,0)$에서 점 $(1,2,0)$으로 가는 경로 C에 대하여 $\int_C \vec{F}(\vec{r}) \cdot d\vec{r}$의 값은?

① e^{-1} ② e^{-2} ③ e ④ e^2

$Ans.$ ④

18항공

99. 벡터 $\vec{r} = \vec{i}\,x + \vec{j}\,y + \vec{k}\,z$와 연산자

$\vec{\nabla} = \hat{i}\,\dfrac{\partial}{\partial x} + \hat{j}\,\dfrac{\partial}{\partial y} + \hat{k}\,\dfrac{\partial}{\partial z}$에 대하여 다음 중 옳은 것은? (단, 보기에서 $\cdot$ 과 $\times$는 각각 벡터

의 내적과 외적을 나타내고, $|\vec{r}| \neq 0$이다.)

① $\vec{\nabla} \cdot \left(\dfrac{\vec{r}}{|\vec{r}|} \right) = |\vec{r}|$ ② $\vec{\nabla} \times \left(\dfrac{\vec{r}}{|\vec{r}|} \right) = \vec{0}$ ③ $\vec{\nabla} \cdot \left(\dfrac{\vec{r}}{|\vec{r}|} \right) = 0$ ④ $\vec{\nabla} \times \left(\dfrac{\vec{r}}{|\vec{r}|} \right) = \vec{r}$

*Ans.*②

19단국

100. 벡터장 $r(x,y,z) = <x,y,z>$ 에 대하여 $r = |r|$ 이라 할 때, 다음 중 옳은 것의 개수는? (단, $r \neq 0$이다.)

ㄱ. $curl\,r = 0$
ㄴ. $div\,r = 3$
ㄷ. $div(r\,r) = 4r$
ㄹ. $curl(\nabla r) = 0$

① 1개 ② 2개 ③ 3개 ④ 4개

*Ans.*④

101. 사분원 $x^2 + y^2 = 1\,(x \geq 0, y \geq 0)$의 모양으로 휘어진 얇은 철선의 무게중심의 x좌표는? (단, 철선의 밀도는 일정하다.)

(1) $\dfrac{1}{2}$ (2) $\dfrac{2}{\pi}$ (3) $\dfrac{3}{5}$ (4) $\dfrac{5}{2\pi}$ (5) $\dfrac{2}{3}$

Ans.(2)

102. 가는 철사가 반원 $x^2 + y^2 = 4, y \geq 0$의 모양으로 구부러져 있다. 철사의 각 점에서 밀도가 $\rho(x, y) = x^4 y$일 때 철사의 질량을 구하시오.

(1) $\dfrac{125}{3}$ (2) 20 (3) $\dfrac{128}{5}$ (4) $\dfrac{129}{6}$ (5) 25

Ans.(3)

103. 곡면 $y^2 + z^2 = 2$와 평면 $z = x$가 만나는 곡선 C위의 선적분 $\displaystyle\int_C \sqrt{2 + y^2}\, ds$의 값은?

$Ans.\ 6\pi$

104. 밀도가 아래로 갈수록 높은 가느다란 금속으로 만든 아치형 구조물이 yz평면에 있는 반원 $y^2 + z^2 = 1, z \geq 0$을 따라서 놓여 있다. 이 아치형 구조물의 밀도가 $\rho(x,y,z) = 2 - z$일 때, 질량을 구하면?

$Ans.\ 2\pi - 2$

20세종

105. 경로 C는 포물선 $x = 2y^2 - 1$ 중에서 $(1,1)$부터 $(1,-1)$까지 호일 때, 선적분 $\displaystyle\int_C \frac{-y}{x^2 + y^2}dx + \frac{x}{x^2 + y^2}dy$를 구하면?

① $\dfrac{3\pi}{2}$ ② $\dfrac{5\pi}{4}$ ③ π ④ $\dfrac{3\pi}{4}$ ⑤ $\dfrac{\pi}{2}$

$Ans.\ ①$

20세종

106. 경로 C가 시계 반대 방향의 타원 $4x^2+y^2=4$ 일 때, 선적분 $\iint_C -4x^2y\,dx+xy^2\,dy$를 구하면?

① 2π　　② 3π　　③ 4π　　④ 5π　　⑤ 6π

$Ans.$③

20세종

107. 벡터마당 $F(x,y)=(xy^2+1)e^{xy^2}i+2x^2ye^{xy^2}j$와 경로 $C:r(t)=ti+t^3j\,(0\le t\le 1)$에 대하여

선적분 $\int_C F \cdot dr$의 값을 구하면?

① $\dfrac{e}{2}$　　② e　　③ $\dfrac{3e}{2}$　　④ $2e$　　⑤ $\dfrac{5e}{2}$

$Ans.$②

17세종

108. 포물선 $x=4-y^2$위에서 점 $(0,\ -2)$ 로부터 점 $(0,2)$까지 이동하는 경로를 C라 할 때, 선적분 $\int_C y^2\,dx+x\,dy$의 값을 구하면?

① $\dfrac{20}{3}$　② $\dfrac{23}{3}$　③ $\dfrac{26}{3}$　④ $\dfrac{29}{3}$　⑤ $\dfrac{32}{3}$

$Ans.$⑤

20건국

109. 벡터장 $F(x,y) = (\int_{\frac{x}{2}}^{1} \cos t^2 dt, \int_{\frac{y}{2}}^{1} \cos t^2 dt)$이 주어져 있다.

경로 $C : r(t) = (t,t)(0 \le t \le 2)$에 따른 선적분 $\int_C F \cdot dr$의 값은?

① 0 ② sin1 ③ 2sin1 ④ sin4 ⑤ 2sin4

Ans. ③

20단국

110. 곡선 C는 포물선 $y = x^2$ 위의 점 $(0,0)$에서 $(1,1)$까지의

호 C_1과 점 $(1,1)$에서 $(3,2)$까지의 선분 C_2로 구성될 때, 선적분 $\int_C 2x ds$의 값은?

① $\dfrac{29\sqrt{5}-1}{6}$ ② $\dfrac{29\sqrt{5}}{6}$ ③ $\dfrac{23\sqrt{5}-1}{6}$ ④ $\dfrac{23\sqrt{5}}{6}$

Ans. ①

20단국

111. 곡선 C는 아래 그림과 같이 육면체의 변을 따라 꼭짓점 $(0,3,0)$에서 $(3,2,3)$까지 연결되는 네 개의 선분으로 구성된다. 벡터장 $F(x,y,z) = <y^2, 2xy+e^{3z}, 3ye^{3z}>$일 때, 선적분 $\int_C F \cdot dr$의 값은?

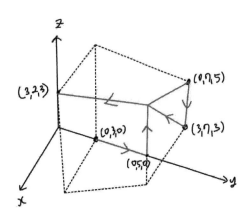

① $9+2e^9$ ② $10+2e^9$ ③ $11+2e^9$ ④ $12+2e^9$

Ans.①

19단국

112. 그림과 같이 C는 원점 $O(0,0,0)$부터 점 $A(2,1,1)$까지 직육면체의 변을 따라 움직이는 경로이고, 벡터장 $F(x,y,z) = <e^y, xe^y - e^z, -ye^z>$일 때, 선적분 $\int_C F \cdot dr$의 값은?

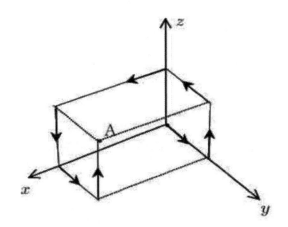

① e ② $2e$ ③ $3e$ ④ $4e$

Ans.①

16가천

113. 벡터장이 $F(x, y, z) = xy\vec{i} + yz\vec{j} + zx\vec{k}$ 이고, 곡선 C가 $0 \le t \le 1$에서
$x = t, y = t^2, z = t^3$일 때, $\int_C F \cdot dr$의 값은?

① $\dfrac{5}{6}$　② $\dfrac{27}{28}$　③ $\dfrac{35}{37}$　④ $\dfrac{37}{38}$

Ans. ②

19홍대

114. 다음 그림과 같이, 원점이 중심이고 반지름이 1인 원과 원점이 중심이고 반지름이 2인
원에 의해 유계된 영역 중 1사분면과 2사분면에 있는 영역을 R이라고 할 때,
$\iint_R (x + 4y^2) dA$의 값을 구하면?

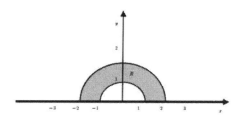

① $\dfrac{15}{2}\pi$　② $\dfrac{\pi}{2}$　③ 10π　④ π

Ans. ①

17홍대

115. 폐곡선 C는 점 $(0,0), (1,0), (1,1)$을 꼭짓점으로 가지는 삼각형이다. 다음 선적분을 구하시오. 단, 경로의 방향은 반시계방향이다.

$$\oint_C (e^{-y^2} - xy)dx - 2xye^{-y^2}dy$$

① $\dfrac{1}{3}$ ② $\dfrac{2}{3}$ ③ $2e^{-1} - \dfrac{1}{3}$ ④ $-e^{-1} + \dfrac{2}{3}$

$Ans.$①

20숙대

116. 좌표공간에서 원점 O와 점 $(3,1,-2)$를 잇는 선분을 C라 할 때 호의 길이 s에 대한 선적분 $\displaystyle\int_C x^2 ds$의 값은?

① $3\sqrt{14}$ ② $3\sqrt{16}$ ③ $9\sqrt{2}$ ④ $6\sqrt{5}$ ⑤ $3\sqrt{22}$

$Ans.$①

19숙대

117.   곡선 $C : x(t) = \cos t,\ y(t) = \sin t,\ 0 \le t \le \dfrac{\pi}{2}$ 위의   물체를   벡터장

$F(x,y) = y^2 i + (2xy - e^y)j$ 으로 움직일 때 물체에 한 일을 구하시오.

① $1+e$ ② $1-e$ ③ $2+e$ ④ $2-e$ ⑤ $3+e$

$Ans.$②

17숙대

118. 곡선 C가 매개방정식 $x = \sin(\pi t), y = 1 - t^2, z = 2t \, (0 \leq t \leq 1)$로 주어져 있을 때, 선적분
$\int_C (yz+1)dx + (xz+z)dy + (xy+y+2z)dz$의 값은?

① -4 ② -2 ③ 0 ④ 2 ⑤ 4

$Ans.$ ⑤

16숙대

119. 곡선 C가 매개방정식 $x = 4\cos t, y = 4\sin t, z = t \, 0 \leq t \leq 2\pi$에 의하여 주어질 때,
선적분 $\int_C xdy + ydz$ 의 값은?

① 4π ② 8π ③ 16π ④ 32π ⑤ 64π

$Ans.$ ③

16숙대

120. 곡선 C는 포물선 $y = x^2 - 1$과 $y = -x^2 + 1$로 둘러싸인 영역의 경계일 때,
$\oint_C (2x+y^2)dx + (x+\cos y)dy$ 의 값은?

① 0 ② 4 ③ $\dfrac{4}{3}$ ④ 2 ⑤ $\dfrac{8}{3}$

$Ans.$ ⑤

15숙대

121. $C: x = t, y = t^2, z = t^3, 0 \le t \le 1$일 때, 선적분 $\int_C xye^{yz}dy$의 값은?

① $\frac{1}{5}(e-1)$ ② $\frac{2}{5}(e-1)$ ③ $\frac{3}{5}(e-1)$ ④ $\frac{4}{5}(e-1)$ ⑤ $(e-1)$

*Ans.*②

20항공

122. 직선을 따라 점$(1,1,1)$에서 점 $(-2,1,3)$까지 움직이는 물체에 대해서 힘 $\vec{F} = x^2\hat{i} - 2yz\hat{j} + z\hat{k}$에 의해 행하여진 일은 얼마인가? (단, 일의 단위는 고려하지 않는다.)

① 1 ② 2 ③ 3 ④ 4

*Ans.*①

19항공

123. 극좌표계의 단위벡터를 각각 $\hat{e}_r, \hat{e}_\theta$라 할 때, A점에서 B점까지의 타원 경로 $\dfrac{x^2}{10^2} + \dfrac{y^2}{6^2} = 1$에 대한 벡터장 $\vec{F} = -5r\hat{e}_r$의 선적분 $\displaystyle\int_C \vec{F} \cdot \vec{dr}$을 구하면?

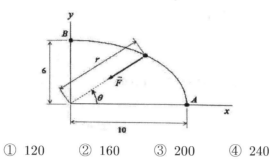

① 120　　② 160　　③ 200　　④ 240

Ans. ②

18항공

124. 벡터함수 $\vec{F}(x,y,z) = \left(e^y \cos z, xe^y \cos z, -xe^y \sin z\right)$와 점 $(0,0,0)$에서 점 $(1,2,0)$으로 가는 경로 C에 대하여 $\displaystyle\int_C \vec{F}(\vec{r}) \cdot \vec{dr}$의 값은?

① e^{-1}　　② e^{-2}　　③ e　　④ e^2

Ans. ④

21아주(오전)

【125~127】아래 글을 읽고 물음에 답하라.

그림에서 점 $P(2,2)$에서 점 $Q(0,1)$에 이르는 선분을 C_1, $Q(0,1)$에서 점 $(-1,0)$을 거쳐 점 $R(0,-1)$에 이르는 반원을 C_2, 점 $R(0,-1)$에서 점 $S(2,-2)$에 이르는 선분을 C_3이라 하자. 이들 곡선 C_1, C_2, C_3를 순차적으로 연결한 곡선을 C 라고 하자. 그리고 점 $P(2,2)$에서 점 $S(2,-2)$에 이르는 선분을 C_4, 원점을 중심으로 하고 반지름이 2인 반시계 방향의 원을 C_5라 하자.

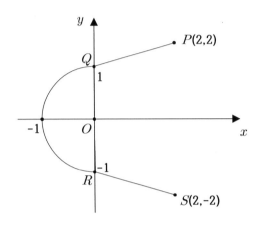

125. 아래 선적분의 값은 얼마인가?

$$\int_{C_4}\left(-\frac{ydx}{x^2+y^2}+\frac{xdy}{x^2+y^2}\right)$$

① $-\pi$ ② $-\dfrac{\pi}{2}$ ③ 0 ④ $\dfrac{\pi}{2}$ ⑤ π

126. 아래 선적분의 값은 얼마인가?

$$\int_{C_5}\left(-\frac{ydx}{x^2+y^2}+\frac{xdy}{x^2+y^2}\right)$$

① -4π ② -2π ③ 0 ④ 2π ⑤ 4π

127. 아래 선적분의 값은 얼마인가?

$$\int_C \left(-\frac{ydx}{x^2+y^2} + \frac{xdy}{x^2+y^2} \right)$$

① $-\dfrac{5}{2}\pi$　　　　② $-\dfrac{3}{2}\pi$　　　　③ $-\dfrac{\pi}{2}$　　　　④ $\dfrac{3}{2}\pi$　　　　⑤ $\dfrac{5}{2}\pi$

21아주(오후)

【128~130】아래 글을 읽고 물음에 답하라.

※중심 $(3,3)$이고 반지름이 r인 (단, $r > 0$)반시계 방향의 원을 C_r이라고 하자. 그리고 포물선 $y = x^2$을 따라 점 $(1,1)$에서 점 $(2,4)$에 이르는 곡선을 $\widetilde{C}$라 하자. 평면상의 벡터장을 아래와 같이 정의 한다.

$F_1(x, y) = x\,i + y\,j$

$F_2(x, y) = -y\,i - x\,j$

$F_3(x, y) = \dfrac{x}{x^2+y^2}i + \dfrac{y}{x^2+y^2}j$

$F_4(x, y) = -\dfrac{2y}{x^2+y^2}i + \dfrac{2x}{x^2+y^2}j$

$F_5(x, y) = -\dfrac{y-2}{(x-2)^2+(y-2)^2}i + \dfrac{x-2}{(x-2)^2+(y-2)^2}j$

128. 다음 중 그 값이 다른 것 하나를 찾아라.

① $\displaystyle\int_{C_3} F_1 \cdot dr$　② $\displaystyle\int_{C_3} F_2 \cdot dr$　③ $\displaystyle\int_{C_3} F_3 \cdot dr$　④ $\displaystyle\int_{C_3} F_4 \cdot dr$　⑤ $\displaystyle\int_{C_3} F_5 \cdot dr$

129. 아래 선적분 값을 구하라.

$$\int_{\tilde{C}} F_2 \cdot dr$$

① -7 ② -4 ③ 0 ④ 4 ⑤ 7

130. 아래 극한을 구하라.

$$\lim_{r \to \infty} \int_{C_r} F_4 \cdot dr$$

① 0 ② 2π ③ 4π ④ 8π ⑤ ∞

21이대

131. 다음 명제 중 옳은 것을 모두 찾으시오.

(아래의 보기 a와 b에서 C 는 평면곡선을 나타내며 $-C$ 는 C 와 같은 점으로 구성되지만 반대 방향을 가진 곡선이다.)

a. $\displaystyle\int_C f(x,y)dx = -\int_{-C} f(x,y)dx$

b. $\displaystyle\int_C f(x,y)ds = -\int_{-C} f(x,y)ds$

(단, $\displaystyle\int_C f(x,y)ds$ 는 곡선 C 위해서 선적분을 나타낸다.)

c. $f(x,y) = \cos x + \sin y$ 일 때 $|D_u f| \leq \sqrt{2}$ 이다.

(단, $D_u f$는 단위벡터 u방향에 대한 f의 방향도함수이다.)

d. $\displaystyle\int_{-1}^1 \int_{-1}^1 \sin(x^2+y^2)\tan y\, dy\, dx = 0$

① a, c   ② b, c   ③ b, d   ④ a, c, d   ⑤ a, b, d

Ans. ④

21단국

132. 아래 그림과 같이 곡선 C는

- 점 $(0, 0)$에서 점 $(1, e)$까지 선분 C_1

- 곡선 $y = e^x$ 위의 점 $(1, e)$에서 점 $(2, e^2)$까지 호 C_2

- 곡선 $y = \dfrac{e^2}{4}(x-4)^2$ 위의 점 $(2, e^2)$에서 점 $(4, 0)$까지 호 C_3로 이루어져 있다. 벡터장

$\vec{F}(x, y) = \langle 3 + 2xy, \ x^2 - 3y^2 + \cos y^2 \rangle$에 대하여 선적분 $\displaystyle\int_C \vec{F} \cdot d\vec{r}$의 값은?

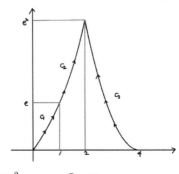

① $3e^2$　　　② 12　　　③ $9e^2$　　　④ 15

Ans. ②

21홍대

133. 경로 C 는 점 $(1,0)$에서 $(0,1)$ 까지 선분과 $(0,1)$에서 $(-1,0)$까지 선분이다. 다음 선
적분을 구하시오.

$$\int_C (3x^2 + 2xy^5)dx + (5x^2y^4 + \sin y + 6x)dy$$

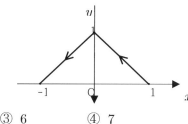

① 4   ② 5   ③ 6   ④ 7

$Ans.①$

21건대

134. 곡선 C는 점 $(0,0)$에서 출발하여 점 $(1,1)$까지 직선 $y=x$를 따라 움직인 후, 다시 점
$(1,1)$에서 점 $(0,0)$까지 곡선 $y^2 = x$를 따라 돌아와 얻은 곡선이다.

선적분 $\int_C (x^2 + y)dx + xy^2 dy$ 의 값은?

① $-\dfrac{7}{60}$ ② $-\dfrac{17}{60}$ ③ $-\dfrac{27}{60}$ ④ $-\dfrac{37}{60}$ ⑤ $-\dfrac{47}{60}$

$Ans.①$

21세종(오전)

135. 곡선 $C : r(t) = (3\cos t, 3\sin t)(0 \le t \le 2\pi)$에 대하여

선적분 $\displaystyle\int_C \frac{y-1}{x^2+(y-1)^2}dx + \frac{-x}{x^2+(y-1)^2}dy$ 의 값은?

① -4π ② -2π ③ 0 ④ 2π ⑤ 4π

Ans. ②

21성대

136. 벡터 $F(x,y) = \left(4x^3y + e^{x^2}\right)i + \left(x^4 + 2y\cos(y^2)\right)j$이고 C는

$r(t) = \left(e^{t^3-t^2} - \cos(2\pi t)\right)i + \left(3\sin\left(\frac{\pi}{2}t^3\right) - 2t^7\right)j$, $0 \le t \le 1$로 주어진 곡선일 때,

선적분 $\displaystyle\int_C F \cdot dr$의 값은?

① $\sin(1)$ ② $\cos(1)$ ③ 0 ④ $\dfrac{11}{26}$ ⑤ $\dfrac{7}{25}$

Ans. ①

21서강

137. 곡선 C가 매개변수방정식

$x = 4\cos t, y = 3t, z = 4\sin t (0 \le t \le 2\pi)$로 정의 될 때, C위에서 벡터장

$F(x,y,z) = (x-y)i + (y-z)j + (z-x)k$의 선적분의 값은?

① $16\pi^2 + 30\pi$ ② $16\pi^2 - 30\pi$ ③ $30\pi^2 + 16\pi$ ④ $18\pi^2 + 40\pi$ ⑤ $18\pi^2 - 40\pi$

Ans. ⑤

21세종(오후)

138. 좌표평면에서 곡선 $\sqrt{x}+y=1$ 위의 점 $(1,0)$부터 점 $(0,1)$까지의 경로를 C라 할 때, 선적분 $\displaystyle\int_C(\sinh x+\cosh y)dx$ 의 값은?

① $3(1-\cosh1)$　　② $3(1+\cosh1)$　　③ 0　　④ $3(1-\sinh1)$　　⑤ $3(1+\sinh1)$

*Ans.*①

21중대(수학과)

139. 곡선 C는 점 $(0,0)$을 출발하여 점 $(0,4)$와 점 $(2,4)$를 차례로 거쳐서 점 $(0,0)$으로 돌아오도록 향(orientation)이 주어진 삼각형의 둘레이다.

선적분 $\displaystyle\int_C(y\cos x-xy\sin x)dx+(xy+x\cos x)dy$ 의 값은?

① $-\dfrac{16}{3}$　　② $-\dfrac{32}{3}$　　③ $\dfrac{32}{3}$　　④ $\dfrac{16}{3}$

*Ans.*②

21중대(수학과)

140. 곡선 $C = \left\{(x, y) \in R^2 | x = \cos t, y = \sin t, 0 \le t \le \dfrac{\pi}{4}\right\}$ 일 때, 선적분 $\displaystyle\int_C \dfrac{1}{x} ds$ 의 값은?

(단, s는 호의 길이를 매개화한 것이다.)

① $\ln(\sqrt{3}+1)$ 　　② $\ln(\sqrt{2}+1)$ 　　③ $\ln\sqrt{3}$ 　　④ $\ln\sqrt{2}$

Ans. ②

21숙대

141. 곡선 $C(t) = (t - \sin t, 1 - \cos t), 0 \le t \le 2\pi$에 대하여 선적분 $\displaystyle\int_C y\,dx - x\,dy$의 값은?

① 2π 　② 4π 　③ 6π 　④ 8π 　⑤ 10π
Ans. ③

21세종(오전)

142. 힘마당 $F(x, y) = (x^2, -xy)$가 곡선 $r(t) = (\cos t, \sin t)\,(0 \le t \le \pi/2)$를 따라 입자를 움직일 때 한 일의 값은?

① $-\dfrac{1}{6}$ 　② $-\dfrac{1}{3}$ 　③ $-\dfrac{1}{2}$ 　④ $-\dfrac{2}{3}$ 　⑤ $-\dfrac{5}{6}$
Ans. ④

21세종(오후)

143. 좌표평면에서 영역 D는 세 직선 x축, y축 $x+y=1$로 둘러싸인 삼각형이고, C는 영역 D의 경계를 따라 움직이는 반시계방향의 경로일 때, 선적분

$$\int_C (y^2+\sin^3 x)dx + \left(x^3+\sqrt{y^2+1}\right)dy \quad \text{의 값은?}$$

① $-\dfrac{1}{16}$ ② $-\dfrac{1}{14}$ ③ $-\dfrac{1}{12}$ ④ $-\dfrac{1}{10}$ ⑤ $-\dfrac{1}{8}$

$Ans.$ ③

22세종

144. 극곡선 $C : r=1+2\cos\theta\,(0 \le \theta \le 2\pi)$와 벡터마당

$$F(x,y)= \left\langle -\frac{2y}{(2x-1)^2+y^2}, \frac{2x-1}{(2x-1)^2+y^2} \right\rangle \text{에 대하여 선적분 } \int_C F \cdot dr \text{을 구하면?}$$

① 0 ② 2π ③ 4π ④ 6π ⑤ 8π

22서강

145. 그림과 같이 C가 $P(1,0)$에서 $Q(0,1)$까지의 선분, Q에서 $R(-1,0)$까지의 선분, R에서 P까지의 선분으로 이루어진 곡선일 때, C 위에서 벡터장

$F(x,y) = -\dfrac{y}{x^2+y^2}i + \dfrac{x}{x^2+y^2}j$의 선적분 값은?

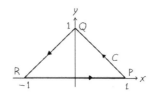

① $-\pi$　　② $-\dfrac{\pi}{2}$　　③ 0　　④ $\dfrac{\pi}{2}$　　⑤ π

22성대

146. 단순 폐곡선 (simple closed curve) C가 좌표평면에서 식 $2x^2 + 3y^2 = 6$으로 정의되고 반시계 방향을 갖는다고 할 때, 선적분 $\displaystyle\int_C \dfrac{y^3 dx - xy^2 dy}{\left(x^2+y^2\right)^2}$의 값은?

① -2π　　② $-\pi$　　③ 0　　④ π　　⑤ 2π

22단국(오후)

147.

곡선 C는 아래와 같이 점 $(-1,0,0)$부터 점 $(0,1,1)$까지 C_1, C_2, C_3으로 이루어져 있다.

· 점 $(-1,0,0)$에서 점 $(1,0,0)$까지의 선분 C_1

· 점 $(1,0,0)$에서 점 $(1,1,1)$까지의 곡면 $z=y^2$위의 곡선 C_2

· 점 $(1,1,1)$에서 점 $(0,1,1)$까지의 선분 C_3

벡터장 $\vec{F}=\langle y^2, 2xy+z\cos(yz)+e^z, y\cos(yz)+ye^z \rangle$에 대한 선적분 $\int_C \vec{F} \cdot \vec{dr}$의 값은?

① $\sin 1 + e$ ② $\sin 1 - 1$ ③ $\cos 1 + e$ ④ $\cos 1 - 1$

22과기대

148. 꼭짓점이 $(2,1), (-2,1), (-1,-1), (1,-1)$인 사다리꼴의 반시계방향 곡선 C와 벡터장 $\vec{F}=\dfrac{1}{x^2+4y^2}<-y,x>$ 에 대하여, 선적분 $\int_C \vec{F} \cdot \vec{dr}$의 값은?

① 0 ② $\dfrac{\pi}{2}$ ③ π ④ 2π

22인하

149. 좌표평면에서 곡선 $y=-x^2+4$와 $y=x^2-2x$로 둘러싸인 영역을 S라 하고, S의 경계를 C라 할 때, 반시계 방향의 선적분 $\int_C (e^x+\sin x-y)dx+(2x-e^{y^2})dy$ 의 값은?

① 21 ② 24 ③ 27 ④ 30 ⑤ 33

22세종

150. 벡터마당 $F(x,y)=2xye^{2y}i+x^2(2y+1)e^{2y}j$ 와 경로 $C:r(t)=t^3i+t^2j\,(0\le t\le 1)$에 대하여 선적분 $\int_C F\bullet dr$을 구하면?

① $\dfrac{e^2}{2}$ ② e^2 ③ $\dfrac{3}{2}e^2$ ④ $2e^2$ ⑤ $\dfrac{5}{2}e^2$

22성대

151. 곡선 C가 점 $(1,0)$에서 시작하여 점 $(0,1)$에서 끝나는 astroid $x^{\frac{2}{3}}+y^{\frac{2}{3}}=1$의 제 1사분면에 있는 부분곡선일 때, $\displaystyle\int_C (y\cos(xy)-1)dx+(x\cos(xy)+1)dy$의 값은?

① 1 ② 2 ③ $\dfrac{5}{2}$ ④ 3 ⑤ $\dfrac{7}{2}$

22아주

152~154. 점 $A(2,2)$에서 출발하여 점 B$(1,1)$, 점 C$(0,2)$, 점 D$(-1,2)$, 점 E$(-2,1)$, 점 F$(-2,-1)$, 점 G$(-1,0)$, 점 H$(1,-2)$를 거쳐 점 $I(2,-2)$에 이르는 선분들로 구성된 곡선을 C_1이라 하고 (아래 그림 참조), 점 $A(2,2)$에서 출발하여 $I(2,-2)$에 이르는 선분을 C_2라 하자. 물음에 답하라.

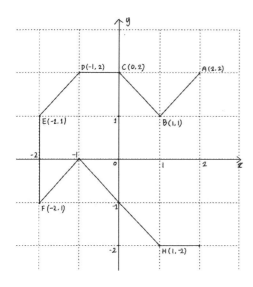

152. 아래 선적분을 구하라.

$$\int_{C_1}(-ydx+xdy)$$

① -2 ② 6 ③ 14 ④ 22 ⑤ 30

153. 아래 선적분을 구하라.

$$\int_{C_2}\left(-\frac{ydx}{x^2+y^2}+\frac{xdy}{x^2+y^2}\right)$$

① $\dfrac{\pi}{2}$ ② $\dfrac{\pi}{4}$ ③ 0 ④ $-\dfrac{\pi}{4}$ ⑤ $-\dfrac{\pi}{2}$

154. 아래 선적분을 구하라.

$$\int_{C_1}\left(-\frac{ydx}{x^2+y^2}+\frac{xdy}{x^2+y^2}\right)$$

① $-\dfrac{5}{2}\pi$ ② $-\dfrac{3}{2}\pi$ ③ $-\dfrac{\pi}{2}$ ④ $\dfrac{3}{2}\pi$ ⑤ $\dfrac{5}{2}\pi$

22한양

155. 벡터장 $F(x,y,z)=\langle \sin y,\ x\cos y+\cos z,\ -y\sin z\rangle$ 와 곡선 $C:r(t)=\langle \sin t, t, 2t\rangle$, $0\le t\le\dfrac{\pi}{2}$ 에 대하여 $\displaystyle\int_C F\cdot dr$ 의 값이 $a+\dfrac{\pi}{b}$ 일 때, $a+b+12$ 의 값을 구하시오.

(단, a,b는 정수이다.)

22건대

156. 벡터장 $F(x,y)=\dfrac{-y}{(x^2+y^2)^k}i+\dfrac{x}{(x^2+y^2)^k}j$ 이고, 곡선 C는 중심이 $(2,0)$이고 반지름이

1인 원이다. 선적분 $\displaystyle\int_C F \cdot dr = 0$일 때, k의 값은?

① $\dfrac{1}{2}$ ② 1 ③ $\dfrac{3}{2}$ ④ 2 ⑤ $\dfrac{5}{2}$

*Ans.*②

면적분(surface integral)

면적분: 정의역이 면
선적분: 정의역이 선

1. 스칼라함수의 면적분(곡면의 질량)
① 직교좌표 $z = g(x,y)$의 곡면

$$\iint_S f(x,y,z)dS = \iint_D f(x,y,g(x,y))\sqrt{\left(\frac{\partial z}{\partial x}\right)^2 + \left(\frac{\partial z}{\partial y}\right)^2 + 1}\, dA$$

② 매개변수의 곡면
곡면 S가 벡터방정식 $(u,v) \in D$에 대하여

$$r(u,v) = (x(u,v), y(u,v), z(u,v)) = x(u,v)i + y(u,v)j + z(u,v)k$$

공식 : $\displaystyle\iint_S f(x,y,z)dS = \iint_D f(r(u,v))|r_u \times r_v|dA$

2. 벡터함수의 면적분(유량)
1) 벡터장 $F(x,y,z) = P(x,y,z)i + Q(x,y,z)j + R(x,y,z)k$가 단위법선벡터 n을 가지는

곡면(유향곡면) S상에서 정의된 연속벡터장이면, S상에서 F의 면적분은

$$\iint_S F \cdot dS = \iint_S F \cdot n dS \text{ 이다.}$$

이 적분을 S를 통과하는 F의 유량($flux$)이라 한다.

적분경로 $S : z = f(x,y), (x,y) \in D$: 스칼라함수 이다.

n은 상향단위벡터이며 $z = f(x,y)$에서

① $z - f(x,y) = 0$의 경도$(-f_x, -f_y, 1)$을 상향벡터라 하고, 단위벡터를 상향단위벡터라 한다.

② $f(x,y) - z = 0$의 경도$(f_x, f_y, -1)$를 하향벡터라 하고, 단위벡터를 하향단위벡터라 한다.

2) 적분경로 S가 $r(u,v) = (x(u,v), y(u,v), z(u,v))$인 벡터함수 일 때

$$\iint_S F \cdot dS = \iint_S F \cdot \frac{r_u \times r_v}{|r_u \times r_v|}dS = \iint_D F \cdot (r_u \times r_v)dA$$

3) **발산정리(유량)–닫힌곡면(단순폐곡면)**

E를 경계곡면 S가 바깥쪽(양)의 방향을 갖는 입체라 하자. 벡터장 F는 E를 포함하는 열린영역상에서 연속인 1계 편도함수를 갖는다면

$$\iint_S (F \cdot n)dS = \iiint_E div F \, dV \text{ 이다.}$$

즉, 발산정리는 폐곡면으로 둘러싸인 영역 밖으로 나가는 유속의 양이다

3. 스톡스(Stokes) 정리

스톡스정리는 그린의 3차라 생각하면 쉽다.

z가 변수이며, 적분경로가 3차원 폐곡선이며 면적분을 선적분으로 선적분을 면적분으로 바꿔주는 유일한 놈이다.

$$\oint_C F dr = \iint_S curl F \cdot \vec{n} ds$$

$$curl F = \nabla \times F = \begin{vmatrix} i & j & k \\ \dfrac{\partial}{\partial x} & \dfrac{\partial}{\partial y} & \dfrac{\partial}{\partial z} \\ P & Q & R \end{vmatrix}$$

1. S가 단위구면 $x^2 + y^2 + z^2 = 1$일 때 면적분 $\displaystyle\iint_S x^2 dS$를 계산하여라.

Ans. $\pi 4/3$

2. 밀도가 $G(x,y,z) = z$ 이고, 곡면 S는 $\left\{(x,y,z) \mid x^2 + y^2 + z^2 = 1, z \geq 0\right\}$ 일 때,

S의 질량 $\displaystyle\int\int_S G(x,y,z)dS$를 구하시오.

Ans. π

3. S가 $xy-$평면 상의 꼭짓점 $(0,0), (2,0), (2,-4)$를 가지는 삼각형 영역위에 있는 곡면 $z = 2 - 3y + x^2$의 부분일 때, $\displaystyle\int\int_S (z + 3y - x^2)dS$를 구하시오.

Ans. $\dfrac{1}{3}\left(26\sqrt{26} - 10\sqrt{10}\right)$

4. $G(x,y,z) = e^{x+y}$이고 S는 제1팔분공간상의 평면 $x+y+z=1$일 때 면적분 $\displaystyle\iint_S G(x,y,z)d\sigma$를 구하여라.

Ans. $\sqrt{3}$

19성대

5. 평면 $z = x+2$ 와 원통 $x^2 + y^2 = 1$의 내부와의 공통 영역으로 이루어진 면을 S라고 할 때, 면적분 $\displaystyle\iint_S z dS$의 값은?

① $\dfrac{\sqrt{2}}{3}\pi$ ② $\dfrac{\sqrt{2}}{2}\pi$ ③ $\sqrt{2}\pi$ ④ $2\sqrt{2}\pi$ ⑤ $3\sqrt{2}\pi$

Ans. ④

스킬편입수학

19가천

6. 곡면 $S = \{(x,y,z)|z = x^2 + y^2, 0 \le z \le 1\}$에 대해 $\displaystyle\int\int_S z\,dS$의 값은?

① $\dfrac{\pi}{6}(5\sqrt{5}-1)$ ② $\dfrac{\pi}{6}(5\sqrt{5}+1)$ ③ $\dfrac{\pi}{60}(25\sqrt{5}-1)$ ④ $\dfrac{\pi}{60}(25\sqrt{5}+1)$

$Ans.$④

7. 곡면 $z = xy, 0 \leq x \leq 1, 0 \leq y \leq 2$에서 n을 상향단위 법벡터로 잡을 때,
벡터장 $\vec{F} = (-xy, z, 0)$에 대해 유량$(flux) \iint_S F \cdot n ds$의 값을 구하여라.

Ans. $2/3$

8. 3차원 공간에서 $\Omega = \{(x, y, z) : x + y + z = 3, x \geq 0, y \geq 0, z \geq 0\}$를 통과하는 벡터장
$F(x, y, z) = xi + yj + zk$의 총유체량$(total\, flux)$의 크기는?

Ans. $27/2$

9. 원통 $x^2 + y^2 = 1$ 내부에 있는 곡면 $z = x^2 + y^2 + 1$에 대해 n을 상향단위 법벡터로 잡을 때, 벡터장 $\vec{F}(x,y,z) = (y,x,0)$의 유량 $(flux)$ $\displaystyle\int\int_S F \cdot nds$을 구하여라.

$Ans. 0$

10. 곡면 $S : z = 4 - x^2 - y^2$, $z \geq 0$에서 n을 상향단위벡터로 잡을 때 벡터함수 $v(x,y,z) = xi + yj + zk$에 대해 면적분 $(유량)$ $\displaystyle\int\int_S (v \cdot \vec{n}) d\sigma$을 구하여라.

$Ans. 24\pi$

16성대

11. 좌표공간에서 곡면 S가 $0 \leq x \leq 1$이고 $0 \leq y \leq 1$이며, $z = xy(1-x)(1-y)$를 만족하는 점들의 집합으로 주어져 있다. 이 때 $\iint_X x\vec{k} \cdot d\vec{S}$의 값은?

(단, $\vec{k}$는 $(0,0,1)$이고, 곡면 S의 법선벡터의 방향은 위를 향한다.)

① $\dfrac{1}{5}$　　② $\dfrac{1}{4}$　　③ $\dfrac{1}{3}$　　④ $\dfrac{1}{2}$　　⑤ 1

$Ans.$④

19항공

12. 면적 S는 제 1팔분공간에 있는 평면 $x + y + \dfrac{z}{2} = 1$이다. 면적 S에 대한 벡터장 $\vec{V} = (x^2, 0, 2y)$의 면적분 $\iint_S \vec{V} \cdot \hat{n} dA$을 계산하면? (단, $\hat{n}$은 단위법선벡터)

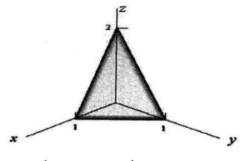

① $\dfrac{1}{2}$　　② $\dfrac{1}{3}$　　③ $\dfrac{1}{4}$　　④ $\dfrac{1}{6}$

$Ans.$①

13. 구 $x^2 + y^2 + z^2 = 3$ 표면 바깥으로 흐르는 유량 $\vec{F} = <0,0,2z>$ 일 때, 면적분 $\int_S \vec{F} \circ \vec{ds}$ 을 계산하면?

$Ans. \, 8\sqrt{3}\,\pi$

16과기

14. S는 반구면 $z = \sqrt{1-x^2-y^2}$ 과 원판 $x^2+y^2 \le 1$으로 이루어진 곡면이고

$F(x,y,z) = \sqrt{x^2+y^2+z^2}\,(xi+yj+zk)$일 때, 유량적분 $\iint_S F \cdot n\, dS$를 계산하면?

(단, n은 곡면을 빠져나가는 방향)

① 0　　　　　② π　　　　　③ 2π　　　　　④ $-\pi$

*Ans.*③

15. S를 3차원 공간에서 원기둥 $x^2+y^2=4$과 두 평면 $z=0,\, z=1$로 둘러싸인 입체라 할 때, S의 내부로부터 외부로 향한 벡터장 $F(x,y,z) = x^3i+y^3j+zk$의 총유체량을 계산하시오.

①　26π　　　② 28π　　　③ 30π　　　④ 32π

*Ans.*②

21가천

16. S가 단위구면 $x^2 + y^2 + z^2 = 1$이고, $F(x, y, z) = \left(x^2 \sin y, \, x \cos y, \, -xz \sin y \right)$ 일 때,

$\iint_S F \cdot dS$ 의 값은?

① $-\dfrac{3}{2}\pi$ ② $-\pi$ ③ $-\dfrac{3}{4}\pi$ ④ 0

$Ans.$④

15과기

17. 벡터장 $\overrightarrow{F}(x, y, z) = \dfrac{1}{(x^2 + y^2 + z^2)^{3/2}}(x, y, z)$에 대하여 곡면 S가 포물면 $z = x^2 + y^2 - 9$와

평면 $z = 16$로 둘러싸인 영역의 경계면일 때, $\iint_S \overrightarrow{F} \cdot \overrightarrow{N} dS$을 계산하면? (단, $\overrightarrow{N}$의 방향은

곡면 밖으로 나가는 방향이다.)

① 0 ② 2π ③ -2π ④ 4π

$Ans.$④

스킬편입수학

18과기

18. 곡면 S가 꼭짓점이 $(0,0,1)$, $(1,1,-1)$, $(1,-1,-1)$ $(-1,0,-1)$인 사면체일 때, 벡터장 $\vec{F} = \dfrac{1}{(x^2 + y^2 + z^2)^{3/2}} <x,y,z>$ 에 대해서 $\displaystyle\iint_S \vec{F} \cdot d\vec{S}$는? (단, 곡면 S의 법선벡터는 곡면의 외부를 향하는 방향이다.)

① 0 ② $\dfrac{4}{3}\pi$ ③ 2π ④ 4π

$Ans.$④

19. R^3에서 중심이 원점, 반지름이 r인 구를 ∂B_r이라 하고, $F(x,y,z) = (x - x^3, y - y^3, z - z^3)$이라 할 때, 구의 외부로 향하는 F의 $flux$ $\displaystyle\iint_{\partial B_r} F \cdot dS$의 값이 최대가 되는 반지름 r의 값은?

① 1 ② $\dfrac{\sqrt{2}}{2}$ ③ $\dfrac{\sqrt{3}}{2}$ ④ $\sqrt{2}$

$Ans.$①

18홍대

20. 벡터장 $F = \langle z, y, x \rangle$의 단위 구면의 바깥 방향 유량과 같지 않은 것을 고르시오.
(단, B는 단위 구체, S는 단위 구면, D는 xy평면에서의 단위원 영역이며 n은 단위구면의 바깥 방향 단위법선벡터)

① $\iiint_B dV$ ② $\iint_S (2xz + y^2) dS$ ③ $\iint_D \left(2x + \dfrac{y^2}{\sqrt{1 - x^2 - y^2}} \right) dA$ ④ $\iint_S F \cdot n dS$

$Ans.$③

21. 단위 공 $R = \{(x,y,z)\,|\,x^2 + y^2 + z^2 \leq 1\}$에 대해 적분 $\iint_{\partial R}(xe^z + y\sin x + z^2)dS$의 값은?

① $\dfrac{\pi}{4}$ ② $\dfrac{\pi}{3}$ ③ $\dfrac{\pi}{2}$ ④ π ⑤ $\dfrac{4\pi}{3}$

*Ans.*⑤

22. $F(x,y,z) = xy\,i + yz\,j + zx\,k$이고 S는 $0 \leq x \leq 1, 0 \leq y \leq 1, 0 \leq z \leq 1$인 단위 정육면체의 6개의 표면을 나타낼 때, 면적분 $\displaystyle\int\int_S F \circ n\,ds$의 값을 구하여라.
(단, n은 바깥방향의 단위수직벡터이다.)

Ans.$3/2$

18숙대

23. 벡터장 $F(x,y,z) = (\sin(yz), 2y, x^2)$가 구면 $x^2 + y^2 + z^2 = 1$을 통과하여 빠져나가는 양은?

① $\dfrac{-8\pi}{3}$ ② $\dfrac{-4\pi}{3}$ ③ 0 ④ $\dfrac{4\pi}{3}$ ⑤ $\dfrac{8\pi}{3}$

*Ans.*⑤

24. $F(x,y,z) = i + j + z(x^2 + y^2)^2 k$일 때, $\displaystyle\int\int_S F \cdot dS$의 값을 구하여라.
   (단, 곡면 S는 $x^2 + y^2 \leq 1$, $0 \leq z \leq 1$인 원기둥 입체의 표면이다.)

Ans.$\pi/3$

25. 벡터함수 $\vec{F}=x^3\vec{i}+y^3\vec{j}+z^3\vec{k}$에 대하여, $x^2+y^2+z^2=1$로 둘러싸인 구의 표면으로부터 바깥쪽으로 향한 플럭스$(Flux)$ $\displaystyle\int\int_{Surface}\vec{F}\cdot\vec{n}dS$을 구하여라.

$Ans.\,12\pi/5$

16성대

26. 좌표공간에서 원점을 중심으로 하고 반지름이 1인 구면에서 z좌표가 음수가 아닌 부분을 S라고 하자. S의 유향이 위를 향할 때 S를 통과하는 벡터장 $F=(y^2,-z^2,x^2)$의 유량은?

① $-\dfrac{\pi}{4}$ ② $\dfrac{1+\pi}{4}$ ③ 0 ④ $\dfrac{\pi}{4}$ ⑤ $-\dfrac{1+\pi}{4}$

$Ans.$④

27. S는 원기둥 $x^2 + y^2 = 1$안에 있고, 평면 $z = 1 + x$아래에 있고, 포물면 $z = x^2 + y^2 - 1$위에 있는 입체영역 E의 양의 방향의 경계 표면이다. 벡터장이 $F(x, y, z) = < -y, x, z >$이라 할 때, $\iint_S F \circ n dS$을 구하면? (가우스의 발산정리를 이용하라.)

① $\dfrac{\pi}{2}$ ② π ③ $\dfrac{3\pi}{2}$ ④ 2π

*Ans.*③

홍대

28. 유체의 속도가 $V = \dfrac{xi + yj + zk}{x^2 + y^2 + z^2}$ 이다. 두 개의 동심구

$x^2 + y^2 + z^2 = 1, x^2 + y^2 + z^2 = 4$로 둘러싸인 입체의 부피를 D, 표면을 S라 할 때, 단위 시간당 S를 통과하는 유체의 부피 $\iint_S \vec{V} \circ \vec{n} ds$를 구하시오.

(단, $\iint_S \vec{F} \circ \vec{n} ds = \iiint_D \vec{\nabla} \circ \vec{F} dV$이고, 구면좌표계 (ρ, θ, ϕ)에서 $dV = \rho^2 \sin\phi d\rho d\theta d\phi$이다.)

① 0 ② π ③ 2π ④ 4π

*Ans.*④

20성대

29. 좌표공간에서 원기둥 $E = \{(x,y,z) \mid x^2 + y^2 \leq 9, 1 \leq z \leq 3\}$의 경계 곡면 S는 바깥쪽 방향을 가진다. 이 때 벡터장 $F = \ <x, -x+z^2, yz>$ 가 S를 통과하는 유향은?

① 18π ② $18\pi + 9$ ③ $18\pi + 18$ ④ 9π ⑤ $9\pi + 9$

*Ans.*①

19성대

30. 곡면 S는 단위구면 $x^2 + y^2 + z^2 = 1$에서 z좌표의 값이 0이상인 부분이고, S의 방향은 위쪽을 향한다. 벡터장 $F = \ <y + xz^2, x(xy + z^2), zy^2 + x^2>$ 가 곡면 S를 통과하는 유량은?

① $\dfrac{9\pi}{20}$ ② $\dfrac{11\pi}{20}$ ③ $\dfrac{13\pi}{20}$ ④ $\dfrac{3\pi}{4}$ ⑤ $\dfrac{17\pi}{20}$

*Ans.*③

18성대

31. 폐곡면 $x^2 + y^2 + z^2 = 1$ 을 S라 하고 S의 방향이 바깥쪽을 향할 때, 벡터장 $F(x,y,z) = \sin^2 xi + 6yj - z\sin 2xk$ 가 곡면 S를 통과하는 유량은?

① 0   ② $\dfrac{4}{3}\pi$ ③ 4π ④ $-\dfrac{4}{3}\pi$ ⑤ 8π

$Ans.⑤$

20과기

32. 곡면 S가 중심이 원점이고 반지름 1인 구면 일 때, 벡터장 $\vec{F} = e^{-x^2 - y^2 - z^2} <x, y, z>$ 가 곡면 S를 빠져나가는 유량 $\displaystyle\iint_S \vec{F} \cdot d\vec{S}$ 의 값은?

① $\dfrac{\pi}{e}$ ② $\dfrac{4\pi}{3e}$ ③ $\dfrac{2\pi}{e}$ ④ $\dfrac{4\pi}{e}$

$Ans.④$

19과기

33. S는 포물면 $z = x^2 + y^2$과 평면 $z=1$ 로 둘러싸인 곡면이고 $\vec{F} = <3y, x^2, 2z^2>$ 일 때, $\iint_S \vec{F} \cdot d\vec{S}$ 는?

(단, 곡면 S의 법선벡터는 곡면의 외부를 향하는 방향이다.)

① $\dfrac{\pi}{3}$　　　② $\dfrac{2\pi}{3}$　　　③ π　　　④ $\dfrac{4\pi}{3}$

*Ans.*④

19이대

34. S가 3차원 공간 안에서 $x^2 + y^2 + z^2 = 9, \, x \geq 0$으로 주어지는 반구 모양의 곡면이라고 하고, 방향이 원점을 향한 쪽으로 주어져 있다고 한다.

벡터장 $\vec{F}(x,y,z) = z\vec{i} + xz\vec{j} + \vec{k}$ 에 대하여, 다음 면적분의 값을 계산하시오.

$$\int\int_S \vec{F} \cdot d\vec{S}$$

(이 때, $\int\int_S \vec{F} \cdot d\vec{S} = \int\int_S \vec{F} \cdot \vec{n} dS$ 이며, $\vec{n}$은 곡면 S의 각 점에서 문제에 주어진 방향으로의 단위 법선벡터이고, dS는 단위면적소이다.)

*Ans.*0

18가천

35. 원기둥 $y^2 + z^2 = 1$ 과 두 평면 $x = -1, x = 2$ 으로 둘러싸인 경계 곡면을 S라 할 때 $F(x, y, z) = <3xy^2, xe^z, z^3>$ 에 대해 $\iint_S F \cdot dS$ 의 값은?

① $\dfrac{3}{4}\pi$ ② $\dfrac{3}{2}\pi$ ③ $\dfrac{9}{4}\pi$ ④ $\dfrac{9}{2}\pi$

*Ans.*④

17홍대

36. 면적분 $\iint_s \vec{F} \cdot \vec{n} dS$의 절댓값을 구하시오.

단, S는 반구면 $\{(x, y, z) \in R^3 | x^2 + y^2 + z^2 = 1, z \geq 0\}$ 이고
벡터장 $\vec{F}$는 $\vec{F}(x, y, z) = (x, -2y, z+1)$이며, $\vec{n}$은 곡면 S의 단위법선벡터이다.

① 0 ② $\pi - \dfrac{1}{2}$ ③ π ④ $\pi + \dfrac{1}{2}$

*Ans.*③

19국민

37. 구면 $S : x^2 + y^2 + z^2 = 1$ 상의 벡터장 $F(x,y,z) = ze_1 + ye_2 + xe_3$ 에 대하여 $\displaystyle\iint_S F \cdot dS$ 의 값은?

① $\dfrac{\pi}{3}$ ② $\dfrac{2\pi}{3}$ ③ π ④ $\dfrac{4\pi}{3}$

$Ans.$ ④

20단국

38. 곡면 S는 원기둥 $x^2 + y^2 = 1$과 두 평면 $z = 1$과 $z = -1$로 구성된다. 벡터장 $F(x,y,z) = <xy^2, x^2y, y>$ 일 때, 면적분 $\displaystyle\iint_S F \cdot dS$의 값은? (단, S의 방향은 둘러싸인 영역의 바깥 방향)

① $\dfrac{\pi}{8}$ ② $\dfrac{\pi}{4}$ ③ $\dfrac{\pi}{2}$ ④ π

$Ans.$ ④

19단국

39. 원기둥 $x^2 + y^2 = 1$ 과 평행한 두 평면 $z = 1 + 2x$, $z = 2 + 2x$ 로 둘러싸인 입체의 경계를 S 라 하자. 벡터장 $F(x,y,z) = \ <x^2 + 3y, \ -3y^2 + \sin z, \ 2z^2>$ 에 대하여 면적분 $\displaystyle\iint_S F \cdot dS$ 의 값은? (단, S의 방향은 둘러싸인 영역의 바깥 방향이다.)

① 2π ② 4π ③ 6π ④ 8π

*Ans.*③

18단국

40. $F(x,y,z) = <-y^3, \ xz^3, \ 3z>$ 이고 S 가 네 평면 $x + y + z = 1$, $x = 0$, $y = 0$, $z = 0$ 으로 이루어진 사면체 E 의 경계일 때, 면적분 $\displaystyle\iint_S F \cdot dS$ 의 값은? (단, S의 방향은 E의 외부 쪽으로 향하는 방향)

① $\dfrac{1}{8}$ ② $\dfrac{1}{4}$ ③ $\dfrac{1}{2}$ ④ 1

*Ans.*③

17단국

41. 입체 $\left\{(x,y,z)\,|\,x^2+y^2\leq 3,\ 0\leq z\leq \sqrt{4-x^2-y^2}\right\}$의 경계곡면을 S라 하자. S의 방향이 바깥쪽을 향할 때, S를 통과하는 벡터장 $F(x,y,z)=y^3\,\text{i}+x^3 j+z^3 k$의 유량은?

① $\dfrac{61}{5}\pi$ ② $\dfrac{62}{5}\pi$ ③ $\dfrac{63}{5}\pi$ ④ $\dfrac{64}{5}\pi$

$Ans.$②

16단국

42. 곡면 $S=\left\{(x,y,z)\,|\,x^2+y^2+z^2=a^2\right\}$의 방향이 바깥쪽을 향할 때, S를 통과하는 벡터장 $F=4xi+yj+4zk$의 유량은 96π이다. 양수 a의 값은?

① 1   ② 2   ③ 3   ④ 4

$Ans.$②

15홍대

43. 벡터함수 $\vec{F} = (2x, -3y, 4z)$을 육면체
$R = \left\{ (x,y,z) \in R^3 | 0 \leq x \leq 1, 0 \leq y \leq 2, 0 \leq z \leq 2 \right\}$ 의 표면 위에서 면적분한 값을 구하시오.

① 11   ② 12   ③ 13   ④ 14

$Ans.$②

44. $E = \left\{ (x,y,z) : \dfrac{x^2}{3} + \dfrac{y^2}{3} + z^2 \leq 1 \right\}$일 때, E의 경계곡면을 ∂E이라 하고, ∂E의 각 점에서
외부로 향하는 단위 법선벡터를 n이라 할 때, 벡터장 $v(x,y,z) = (2x, xz, z^2)$의 총 유체량
$\displaystyle\iint_{\partial E} v \cdot n dS$의 값을 구하면?

$Ans.8\pi$

19서강

45. 원기둥 $x^2 + y^2 = 1$과 두 평면 $z = 10, z = x$로 둘러싸인 3차원 영역의 경계면 S가 바깥으로 향하는 방향을 가지고 있다고 하자.

벡터장 $F = yi + (z + \cos x)j + (e^{x^2} + z)k$ 에 대하여 적분 $\iint_S F \cdot dS$의 값은?

① 4π ② 6π ③ 8π ④ 10π ⑤ 12π

*Ans.*④

21과기

46. 방정식 $\dfrac{x^2}{4} + y^2 + \dfrac{z^2}{9} = 1$로 주어진 곡면 S와 벡터장 $\vec{F} = \langle x, y, z \rangle$에 대해서 면적분

$\iint_S \vec{F} \cdot d\vec{S}$의 값은?

① 0 ② 12π ③ 24π ④ 36π

*Ans.*③

18건대

47. $\sum$ 가 곡면 $x^2 + y^2 + z^2 = 1, x \geq 0, y \geq 0, \quad z \geq \sqrt{x^2 + y^2}$ 일 때, 면적분 $\iint_{\Sigma} 24yz\, dS$ 의 값은?

① $\sqrt{2}$　　② $\sqrt{3}$　　③ $2\sqrt{2}$　　④ $2\sqrt{3}$　　⑤ 4

$Ans.$③

48. 원점이 중심이고 반지름이 1인 북반구를 S, 북반구의 S의 바깥 방향의 법선벡터를 $\vec{n}$, $\vec{F}=< 2y\cos z, e^x\sin z, xe^y >$ 일 때, 적분 $\iint_S curl\vec{F} \cdot \vec{n}dS$를 계산하여라.

$Ans. - 2\pi$

49. 벡터장은 $\vec{v}(t)= z\,i + 3x\,j - x^2y^2\,k$ 이고, 곡면 S는 평면 $z = 1$위에 놓인 포물면 $z = 2 - x^2 - y^2$이다. 곡면 S위에서 $\iint_S curl\vec{v} \cdot \vec{n}dS$을 구하여라.

$Ans. 3\pi$

50. C가 원통 $x^2+y^2=1$과 평면 $y+z=2$가 만나 이루는 폐곡선이라 할 때, 다음 선적분을 구하여라.

$$\oint_C zdx + xdy + 2ydz$$

$Ans.\,2\pi$

51. 3차원 $xyz-$직교좌표에서 $-1 \leq x \leq 1,\ 0 \leq y \leq 2,\ z=0$으로 정의된 평면 S를 생각하자. 어떤 물체가 힘 $\vec{F}=y(x+y)\vec{i}+y\vec{j}+z(x+y)\vec{k}$에 의해 평면 S의 가장자리를 따라 반시계 방향으로 한 바퀴 돌았을 때, 이 힘이 한 일의 양은?

$Ans.\,-8$

52. 벡터

$F(x,y,z) = \ <3y - e^{\sin x}, 7x + \sqrt{y^4+1}, y^2 - 2\sqrt{x^4+z^6}>$ 이고 곡면 S는 평면 $z=1$ 위에 있는 임의의 부드러운 곡면으로써 경계곡선이 $x^2+y^2=9, z=1$이다. 적분 $\iint_S \vec{\nabla} \times \vec{F} \circ d\vec{S}$ 를 구하면?

① 18π ② 24π ③ 36π ④ 38π

$Ans.$③

53. 반구면 $z = \sqrt{1-x^2-y^2}$ 와 $z=0$이 만나는 원을 반시계방향으로 도는 궤선을 따라서 벡터장 $F(x,y,z) = 3xi + \left(x + \dfrac{2}{3}x^3 + 2xy^2\right)j + zk$ 의 선적분을 구하여라.

$Ans.\ 2\pi$

인하

54. S를 포물면 $z = 3 - x^2 - y^2$의 부분 중에서 평면 $z = 2x$의 윗부분이라고 할 때, S위에서 벡터장 $F = <z^2, x^2, y^2>$의 유속 $\displaystyle\iint_S (\nabla \times F) \cdot \hat{n}\, dS$의 값을 구하여라.

($\hat{n}$은 포물면 위로 향하는 단위법선벡터이다. 예를 들면, 점 $(0,0,3)$에서 $\hat{n}$은 $(0,0,1)$이 된다.)

$Ans. -8\pi$

15홍대

55. 곡선 $C = \{(x,y,z) \in R^3 | x^2 + y^2 = 1,\ y = z\}$를 따라서, 벡터함수 $\vec{v}(x,y,z) = (2z, 3x, 1)$를 양의 z축에서 볼 때 반시계방향으로 선적분 한 값을 구하시오.

$Ans. \pi$

56. *Stokes* 정리를 이용하여 $\displaystyle\int\int_S curl F \cdot dS$의 값을 구하면?

   (단, $F(x,y,z) = y^2 z i + xz j - 3x^2 y^3 k$이고 S는 원기둥 $x^2 + y^2 = 1$의 내부에 있는 포물면 $z = x^2 + y^2$의 부분이다. S의 방향은 경계곡선의 양의 방향이다.)

   Ans. π

16서강

57. R^3위의 벡터장 (*vector field*) $F(x,y,z) = \left(xz, xe^{x^2 z}, \cos(xy)\right)$와

   반구 $S : r(\phi, \theta) = (\sin\phi\cos\theta, \sin\phi\sin\theta, \cos\phi), 0 \le \phi \le \dfrac{\pi}{2}, 0 \le \theta \le 2\pi$에 대하여

   적분 $\displaystyle\int\int_S curl F \cdot dS$의 값은?

   Ans. π

국민

58. 영역 $D = \{(x,y,z) \in R^3 | x^2 + y^2 + z^2 < 1\}$에서 정의된 벡터장 $\vec{F}$에 대한 모든 차수의 편도함수가 존재한다고 할 때, 다음중 옳은 것을 모두 고르면?

> ㄱ. 영역 D에 속하는 임의의 단순 폐곡선 C에 대하여 $\oint_C \vec{F} \cdot \vec{dr} = 0$이면, 벡터장 $\vec{F}$는 포텐셜 함수(*potential function*)를 가진다.
>
> ㄴ. 모든 점에서 $\nabla \cdot (\nabla \times \vec{F}) = 0$이 성립한다.
>
> ㄷ. 모든 점에서 $\nabla \times \vec{F} = \vec{0}$이면, 벡터장 $\vec{F}$는 포텐셜함수를 가질 수 없다.

Ans. ㄱ, ㄴ

16단국

59. 벡터장 $F = (x+2z)i + (3x+y)j + (2y-z)k$가 있다. 세 점 $(4,0,0)$, $(0,2,0)$, $(0,0,4)$를 꼭짓점으로 하는 삼각형을 C라고 할 때, 선적분 $\oint_C F \cdot dr$의 값은?

(단, C의 방향은 원점에서 C를 볼 때, 시계 방향이다.)

① 24　② 36　③ 48　④ 60

*Ans.*②

60. 벡터장이 $\vec{F}(x,y,z) = (x^2+y-4, 3xy, 2xz+z^2)$이고, 곡면 S가 좌표평면 공간위에서 $x^2+y^2+z^2 = 16\,(z \geq 0)$일 때, $\iint_S curl\vec{F} \circ \vec{n}\,dS$의 값은?

(단, $curl$은 회전 미분연산자, n은 S의 바깥방향 단위법선벡터)

① -32π ② -16π ③ 16π ④ 32π

$Ans.$②

18과기

61. 곡면 S가 $z = \sqrt{36-9x^2-4y^2}$ 의 그래프일 때,

벡터장 $\vec{F} = \dfrac{1}{x^2+y^2+z^2}<-y, x, z>$ 에 대해서 $\iint_S curl\vec{F} \cdot d\vec{S}$는?

(단, 곡면 S의 법선벡터는 위쪽 방향이다.)

① 0 ② 2π ③ 4π ④ 6π

$Ans.$②

스킬편입수학

62. 벡터장 $F(x,y,z) = yi + zj + xk$ 이고 C는 평면 $x+y+z=1$의 제1팔분공간에 속하는 부분의 경계이고 방향은 위에서 보아 반시계방향일 때 $\int_C F \cdot dr = \dfrac{a}{b}$ 이다. 이 때 $|a| + |b|$ 의 값은? (단, $|a|$와 $|b|$는 서로소이다.)

① 7   ② 6   ③ 5   ④ 4

*Ans.*③

17단국

63. z곡선 $C = \{(x,y,z) | (x-1)^2 + (y-3)^2 = 25, z = 3\}$에 대하여 $\int_C -2ydx + 3xdy + 10zdz$의 값은? (단, C의 방향은 원점에서 볼 때 시계방향이다.)

① -250π ② -125π ③ 125π ④ 250π

*Ans.*③

20가천

64. $F(x,y,z) = (x+y^2, y+z^2, z+x^2)$이고 C는 세 점 $(1,0,0), (0,1,0), (0,0,1)$을 꼭짓점으로 하는 삼각형의 둘레일 때, $\int_C F \cdot dr$의 값은?

① -1 ② 0   ③ $\dfrac{\pi}{2}+1$ ④ $3e^2 - \dfrac{3}{4}$

*Ans.*①

18숙대

65. 평면 $z=3$위에 놓여있는 원 $x^2+y^2=16$을 C라고 둘 때, 벡터장 $F(x,y,z) = (yz, 2xz, e^{x^2y^2})$의 선적분 $\int_C F \cdot dr$의 값은? (여기서 곡선 C의 방향은 위에서 볼때 시계 방향이다)

① -48π ② -27π ③ 0   ④ 27π ⑤ 48π

*Ans.*①

스킬편입수학

66. 폐곡선 C가 $(1,0,0), (0,1,0), (0,0,1)$을 꼭짓점으로 갖는 삼각형일 때, 선적분 $\oint_C (zdx + xdy + ydz)$의 값을 구하면? (단, 폐곡선 C는 반시계방향이다.)

① $\dfrac{1}{2}$ ② $\dfrac{3}{2}$ ③ $\dfrac{5}{2}$ ④ $\dfrac{7}{2}$

$Ans.$②

19한양

67. 평면 $x + 3y + z = 2$와 원기둥면 $x^2 + y^2 = 4$가 만나는 곡선을 C라 할 때, 선적분 $\oint_C - \sqrt{1 + x^2 + y^2}\, dx + xdy - z^2 dz$의 값은?

(단, C의 방향은 이 곡선을 xy평면으로 정사영하였을 때, 시계반대 방향이 되도록 주어져 있다.)

① π ② 2π ③ 3π ④ 4π ⑤ 5π

$Ans.$④

스킬편입수학

20성대

68. 좌표 공간 내에 곡면 S가 다음 식에 의해 정의되고 $z = 4 - x^2 - y^2, x \geq 0, y \geq 0, z \geq 0$ 곡면 S의 경계곡면 C의 방향은 z-축의 양의 방향, 즉 위에서 내려다보았을 때 시계반대방향이다. 벡터장 $F = <yz, -xz, 1>$에 대하여 $\displaystyle\int_C F \cdot dr$의 값은?

① -2 ② -1 ③ 0 ④ 1 ⑤ 2

*Ans.*③

20홍대

69. 벡터장 $F(x,y,z) = x^2yzi + xy^2zj + xyz^2k$는 유체의 흐름의 속도를 나타낸다. 주어진 점 중에서 입자가 가장 빨리 회전하는 점을 고르시오.

① $(3,0,0)$ ② $(2,1,0)$ ③ $(1,1,1)$ ④ $(0,0,0)$

*Ans.*②

20홍대

70. 벡터장 $F = (x+yz)i + (2y-zx)j + (3z+2x^2y)k$를 주어진 영역의 경계곡면에서 면적분한 값이 가장 큰 것을 고르시오. (여기서 경계곡면은 영역의 바깥쪽으로 향하는 방향을 갖는다.)

① $\{(x,y,z) | x^2 + y^2 + z^2 \leq 1\}$

② 네 점 $(0,0,0), (0,2,0), (2,0,0), (0,0,2)$를 꼭짓점으로 갖는 사면체

③ 여섯 점 $(\pm 1, 0, 0), (0, \pm 1, 0), (0, 0, \pm 1)$을 꼭짓점으로 갖는 정팔면체

④ $\{(x,y,z) | -1 \leq x \leq 1, -1 \leq y \leq 1, -1 \leq z \leq 1\}$

Ans.④

20홍대

71. 잠자리의 움직임이 벡터함수 $r(t) = 3\cos t\,i + 2\sin t\,j + tk$로 표현된다. 궤적 곡선 C위의 두 점 $P_0(3,0,0)$과 $P(-3,0,\pi)$에 대해 다음 중 맞지 않는 것을 고르시오.

① 잠자리가 점 P_0에서 점 P까지 이동한 거리는 $\sqrt{5}\displaystyle\int_0^\pi \sqrt{\sin^2 t + 1}\,dt$로 구해진다.

② 점 P에서 곡선 C의 주법선 벡터 N은 $\dfrac{1}{\sqrt{5}}(j - 2k)$이다.

③ 잠자리가 점 P를 지날 때의 가속도 벡터 a를 진행방향과 수직방향의

성분으로 분해하면 수직방향 성분의 크기는 3이다.

④ 점 P에서 곡선 C의 곡률은 $\dfrac{3}{5}$이다.

*Ans.*②

21건대

72. 반지름 1인 공 $B = \{(x,y,z): x^2+y^2+z^2 \leq 1\}$의 경계를 이루는 구면을 S라 할 때,

함수의 면적분 $\iint_S (x^2+y+z)dS$ 의 값은? (단, 공의 바깥쪽을 향하도록 구면 S의 방향을

정한다.)

① $\dfrac{\pi}{3}$ ② $\dfrac{2\pi}{3}$ ③ π ④ $\dfrac{4\pi}{3}$ ⑤ $\dfrac{5\pi}{3}$

*Ans.*④

73. 공간에서 곡면 $x = y^2$과 세 평면 $x = z, z = 0, x = 1$로 둘러싸인 입체의 밀도함수가

$\rho(x,y,z) = x$일 때, 이 입체의 질량은?

① $\dfrac{1}{7}$ ② $\dfrac{2}{7}$ ③ $\dfrac{3}{7}$ ④ $\dfrac{4}{7}$

*Ans.*④

스킬편입수학

18성대

74. 좌표공간에 부등식 $x^2+y^2 \leq z^2+1$ 과 $|z| \leq 2$ 를 만족하는 영역의 입체를 고려하자. 이 입체의 경계곡면과 같은 형태의 속이 빈 닫힌 드럼통이 있고, 이 드럼통의 밀도함수가 $\rho(x,y,z) = 3|z|$ 일 때, 드럼통의 질량은?

① 110π ② 111π ③ 112π ④ 113π ⑤ 114π

*Ans.*③

14중대

75. 연속함수 $f : R^2 \rightarrow R$에 대하여 $U = \{(x, y, z) \in R^3 \mid x^2 + y^2 + z^2 = 1\}$ 상의 면적분 $\displaystyle\int\int_U f\left(\dfrac{x}{\sqrt{x^2+y^2}}, \dfrac{y}{\sqrt{x^2+y^2}}\right)(1-z^2)dS$와 같은 것은?

① $\dfrac{1}{3}\displaystyle\int_0^{2\pi} f(\cos\theta, \sin\theta)d\theta$ ② $\dfrac{2}{3}\displaystyle\int_0^{2\pi} f(\cos\theta, \sin\theta)d\theta$

③ $\displaystyle\int_0^{2\pi} f(\cos\theta, \sin\theta)d\theta$ ④ $\dfrac{4}{3}\displaystyle\int_0^{2\pi} f(\cos\theta, \sin\theta)d\theta$

*Ans.*④

19과기대

76. 스칼라 함수 f, g와 벡터함수 $\vec{F}$에 대해 다음 중 옳은 것은?

① $div\ (f\vec{F}) = f\,div\,\vec{F} + \vec{F}\nabla f$

② $div\ (f\nabla g) = f\nabla^2 g + g\nabla^2 f$

③ $curl(f\vec{F}) = \nabla f \times \vec{F} + f\,curl\,\vec{F}$

④ $\nabla^2 f = f(\nabla f)$

$Ans.$③

21인하

77. 좌표공간에서 $x^2 + y^2 \leq 1$, $x^2 + y^2 + z^2 \leq 4$로 주어진 영역의 경계를 S라고 하고, $\vec{n}$을 외향 단위법선벡터라고 하자. 벡터장 $F(x, y, z) = (x^2, y, z^2)$에 대하여 벡터장 F의 S에서의 유속 $\iint_S F \cdot \vec{n}\, dS$ 의 값은?

ⓐ $\left(\dfrac{28}{3} - 4\sqrt{3}\right)\pi$ ⓑ $\left(\dfrac{29}{3} - 4\sqrt{3}\right)\pi$ ⓒ $\left(10 - 4\sqrt{3}\right)\pi$ ⓓ $\left(\dfrac{31}{3} - 4\sqrt{3}\right)\pi$ ⓔ $\left(\dfrac{32}{3} - 4\sqrt{3}\right)\pi$

Ans. ⓔ

21인하

78. 좌표공간에서 $z = x^2 + y^2$, $x + y + z \leq 1$로 주어진 곡면 S에 대하여 $\vec{n}$은 $\vec{n} \cdot (0, 0, 1) > 0$을 만족하는 단위법선벡터이다. 벡터장 $F(x, y, z) = (-y, x, y)$에 대하여 유속 $\iint_S (\nabla \times F) \cdot \vec{n}\, dS$ 의 값은?

ⓐ $\dfrac{5}{2}\pi$ ⓑ $\dfrac{7}{2}\pi$ ⓒ $\dfrac{9}{2}\pi$ ⓓ $\dfrac{11}{2}\pi$ ⓔ $\dfrac{13}{2}\pi$

Ans. ⓒ

21서강

79. $A(1,2,3)$, $B(2,2,3)$, $C(1,4,3)$, $D(2,4,6)$을 꼭짓점으로 갖는 사면체의 경계면 S가 바깥으로 향하는 방향을 가지고 있다고 하자. S 위에서 벡터장

$F(x,y,z) = (3x+y)i + (2yz)j + (e^x - z^2)k$의 면적분의 값은?

① 1 　　② 2 　　③ 3 　　④ 6 　　⑤ 18

$Ans.$③

21서강

80. 그림과 같이 S가 $A(1,0,0,)$, $B(0,2,0)$, $C(0,0,3)$을 꼭짓점으로 갖는 삼각형으로 위로의 방향을 가지고 있는 면이라고 하자.

S위에서 벡터장 $F(x,y,z) = (x-y)i + zj + yk$의 면적분의 값을 $\dfrac{q}{p}$라고 할 때, $p+q$의 값은?

(단, p,q는 서로소인 자연수)

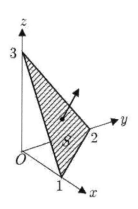

21한양

81. 곡면 $\sigma : x^2 + \dfrac{y^2}{4} + \dfrac{z^2}{9} = 1$과 벡터장(vector field)

$F(x, y, z) = (x+y)i + (3z^2 + y)j + (x+z)k$ 에 대하여 $\displaystyle\iint_\sigma F \cdot n dS$ 의 값은?

(단, n은 σ의 외향단위법선벡터장 (outward unit normal vector field)이다.)

① 12π ② 18π ③ 24π ④ 30π ⑤ 36π

21단국

82. 곡선 C는 평면 $y + z = 2$와 원기둥 $x^2 + y^2 = 1$의 교선일 때, 벡터장 $\vec{F}(x, y, z) = \langle -y^2, x, z^2 \rangle$에 대하여, 선적분 $\displaystyle\int_C \vec{F} \cdot d\vec{r}$의 값은? (단, C의 방향은 위에서 내려다봤을 때 시계 방향이다.)

① $-\pi$ ② $-\dfrac{\pi}{2}$ ③ $\dfrac{\pi}{2}$ ④ π

21단국

83. 곡선 C는 평면 $x+y+z=2$와 원기둥 $x^2+y^2=4$의 교선이다. 벡터장 $\vec{F}(x,y,z)=\langle -y^3,\ x^3,\ -z^3 \rangle$에 대하여, 선적분 $\displaystyle\int_C \vec{F}\cdot d\vec{r}$의 값은? (단, C의 방향은 위에서 내려다봤을 때 시계 반대 방향이다.)

① 8π ② 16π ③ 24π ④ 32π

21성대

84. 곡면 S는 평면 $z=1$위쪽에 놓여있는 원추면 $z=2-\sqrt{x^2+y^2}$ 의 부분이고, S의 방향(orientation)은 위쪽을 향한다. 곡면 S를 통과하는 벡터장 $F(x,y,z)=\left(xy^2+\tan^2 z\right)i+\left(e^{x^2}+x\sin^3 z\right)j+\left(x^2 z+y^2\right)k$의 유량은?

① $\dfrac{1}{5}\pi$ ② $\dfrac{3}{5}\pi$ ③ π ④ $\dfrac{8}{7}\pi$ ⑤ $\dfrac{11}{7}\pi$

스킬편입수학

21인하

85. 구면 $D: x^2 + y^2 + z^2 = 9$에서 적분 $\displaystyle\iint_D (x+y+z^2)dS$ 의 값은?

ⓐ 104π ⓑ 106π ⓒ 108π ⓓ 110π ⓔ 112π

21국민

86. V는 포물면 $z = 4 - x^2 - y^2$ 과 xy평면으로 둘러싸인 영역이고, $F(x, y, z) = x^3 i + y^3 j + z^3 k$일 때, 면적분 $\iint_S F \cdot n \, dS$의 값은?

(단, S는 V의 표면이고 n은 단위법선벡터이다.)

① 56π　　② 72π　　③ 96π　　④ 108π

21과기

87. 방정식 $\dfrac{x^2}{4} + y^2 + \dfrac{z^2}{9} = 1$로 주어진 곡면 S와 벡터장 $\vec{F} = \langle x, y, z \rangle$에 대해서 면적분 $\iint_S \vec{F} \cdot d\vec{S}$의 값은?

① 0　　② 12π　　③ 24π　　④ 36π

21건대

88. 벡터장 $F(x, y, z) = (y, z, e^{xy})$을 반구 $S : x^2 + y^2 + z^2 = 1,\, z \geq 0$위에서 적분한 면적분 $\iint_S curl\, F \cdot dS$ 의 절댓값은?

① $\dfrac{\pi}{6}$　　② $\dfrac{\pi}{4}$　　③ $\dfrac{\pi}{3}$　　④ $\dfrac{\pi}{2}$　　⑤ π

21중대(수학과)

89. 벡터장 F는 $F(x, y, z) = (xy + xe^{z^2},\ -2y^2 - ye^{z^2},\ z + x^2)$이고, S는 향이 $(0, 0, -1)$로 주어진 원판 $S = \{(x, y, z) \in R^3 \mid x^2 + y^2 \leq 1,\, z = 0\}$일 때, 유량(flux) $\iint_S F \cdot ds$ 의 값은?

① $-\dfrac{\pi}{4}$　　② $-\dfrac{\pi}{2}$　　③ $-\pi$　　④ 0

21건대

90. 곡선 C는 원기둥면 $x^2 + y^2 = 3$과 평면 $x + y + z = 1$의 교선이다.

선적분 $\displaystyle\int_C -y^3 dx + x^3 dy - z^3 dz$ 의 값은?

(단, 곡선 C의 방향은 $xy-$평면으로 정사영한 곡선의 방향이 시계 반대방향이 되도록 정한다.)

① $\dfrac{21\pi}{2}$ ② $\dfrac{23\pi}{2}$ ③ $\dfrac{25\pi}{2}$ ④ $\dfrac{27\pi}{2}$ ⑤ $\dfrac{29\pi}{2}$

22가천(A형)

91. 원판 $u^2 + v^2 \leq 1$에서 $r(u,v) = \langle 2uv, u^2 - v^2, u^2 + v^2 \rangle$로 매개화된 곡면 S에 대해 면적분, $\displaystyle\int_S x^2 + y^2 dS$의 값은?

① π ② $\sqrt{2}\pi$ ③ 2π ④ $2\sqrt{2}\pi$

스킬편입수학

22가천(B형)

92. 곡면 S는 평면 $z=1$의 아래에 있는 원뿔면 $z=\sqrt{x^2+y^2}$의 부분이고 아래쪽을 향한다. 벡터장 $F(x,y,z)=\langle -x,-y,z^3 \rangle$에 대해 $\iint_S F \cdot dS$ 의 값은?

① $-\dfrac{2}{15}\pi$ ② $-\dfrac{4}{15}\pi$ ③ $-\dfrac{8}{15}\pi$ ④ $-\dfrac{16}{15}\pi$

22과기대

93. 곡면 $z=x+\dfrac{2}{3}y^{3/2}(0\le x\le 1, 0\le y\le \pi)$의 영역을 S라고 할 때, 면적분 $\iint_S \sqrt{2+y}\cos y \, dS$ 의 값은?

① -4 ② -2 ③ 2 ④ 4

22서강

94. 바깥으로 향하는 방향을 갖는 곡면 $x^2 + 2y^2 + 3z^2 = 6$을 S라고 하자. 곡면 S위에서 벡터장 $F(x,y,z) = (x^3 - xy^2)i - 2x^2yj + (3y^2z + z^3)k$ 의 면적분의 값을 $\dfrac{q}{p}\pi$라고 할 때, $p + q$의 값은? (단, p, q는 서로소인 자연수)

22홍대

95. 공간 평면 S_1, S_2, S_3와 곡선 C, 그리고 평면영역 R은 다음과 같이 정의되었다.

$S_1 : z = 9 - x^2 - y^2, \ z \geq 0$
$S_2 : z = x^2 + y^2 - 9, \ z \leq 0$
$S_3 : z = \sqrt{9 - x^2 - y^2}$
$C : x^2 + y^2 = 9, z = 0$
$R : xy$평면 내 $x^2 + y^2 \leq 9$인 영역

벡터장 $\vec{G}(x,y,z) = \dfrac{1}{1+y^2}\hat{i} + 2ze^{x^2}\hat{j} + y^2\hat{k}$가 주어졌을 때, 다음 중 선적분

$\displaystyle\oint_C z^2 e^{x^2} dx + xy^2 dy + \tan^{-1}y \, dz$ 와 다른 것을 고르시오. 단 곡선 C의 방향은 위(z축의 양의 방향)에서 보았을 때, 시계 반대 방향이며, 곡면 S_1, S_2, S_3의 방향은 곡면이 볼록한 쪽의 방향이다.

① $\displaystyle\iint_{S_1} \vec{G} \cdot \vec{n} \, dS$ ② $\displaystyle\iint_{S_2} \vec{G} \cdot \vec{n} \, dS$ ③ $\displaystyle\iint_{S_3} \vec{G} \cdot \vec{n} \, dS$ ④ $\displaystyle\iint_R y^2 \, dA$

- 125 -

22인하

96. 곡면 $S= \left\{ (x,y,z) \mid z = \dfrac{1}{2}\left(x^2+y^2\right),\ x^2+y^2 \leq 1 \right\}$ 위에서 정의된 함수 $f(x,y,z)=z$에 대하여 곡면적분 $\displaystyle\iint_S f(x,y,z)dS$ 의 값은?

① $\dfrac{2\pi}{15}\left(\sqrt{2}+1\right)$　② $\dfrac{2\pi}{15}\left(\sqrt{2}+3\right)$　③ $\dfrac{2\pi}{15}\left(\sqrt{2}+5\right)$　④ $\dfrac{2\pi}{15}\left(\sqrt{2}+7\right)$　⑤ $\dfrac{2\pi}{15}\left(\sqrt{2}+9\right)$

22단국(오전)

97. 곡면 S는 포물 기둥 $z=1-x^2$과 세 평면 $z=0,\ y=0,\ y+z=2$로 둘러싸인 영역의 경계이다. 벡터장 $\vec{F}(x,y,z)= \left\langle 3xy,\ 2y^2+e^{xz^2},\ \sin(xy) \right\rangle$에 대하여 면적분 $\displaystyle\iint_S \vec{F} \boldsymbol{\cdot} dS$의 값은? (단, 곡면 S의 방향은 원점에서 바라봤을 때, 바깥 방향이다.)

① $\dfrac{184}{15}$　② $\dfrac{62}{5}$　③ $\dfrac{188}{15}$　④ $\dfrac{38}{5}$

22단국(오후)

98. 곡면 S는 $x^2 + y^2 = 1$을 두 평면 $z = 0$과 $x - z + 1 = 0$으로 자르고 남은 원기둥이다. 벡터장 $\vec{F} = \langle 0, 0, z \rangle$에 대하여 면적분 $\iint_S \vec{F} \cdot dS = a\pi$일 때, a의 값은? (단, 곡면 S의 방향은 원점에서 바라봤을 때 바깥 방향이다.)

① 1   ② $\dfrac{4}{3}$ ③ $\dfrac{3}{2}$ ④ 2

22성대

99. 폐곡면 $S = \left\{ (x, y, z) \,\middle|\, x^2 + \dfrac{y^2}{2} + \dfrac{z^2}{3} = 1 \right\}$의 방향(orientation)이 바깥쪽을 향할 때, 벡터장 $F(x, y, z) = \dfrac{\langle x, y, z \rangle}{\left(x^2 + y^2 + z^2 \right)^{\frac{3}{2}}}$에 대하여 면적분 $\iint_s F \cdot dS$의 값은?

① 0   ② π ③ 2π ④ 3π ⑤ 4π

스킬편입수학

22인하

100. 좌표공간에서 영역 R를 $R=\{(x,y,z)\,|\,1\leq x^2+y^2+z^2\leq 4\}$라 하고, 곡면 S_1, S_2를 $S_1=\{(x,y,z)\,|\,x^2+y^2+z^2=4\}$, $S_2=\{(x,y,z)\,|\,x^2+y^2+z^2=1\}$라 하자. 곡선 S를 $S=S_1\cup S_2$라 하고 S에서 정의된 단위법선벡터 $\vec{n}$이 S_1 위에서는 R의 바깥쪽을 향하고, S_2위에서는 원점을 향한다고 하자.

벡터장 $F(x,y,z)=\left(x\sqrt{x^2+y^2+z^2},\ y\sqrt{x^2+y^2+z^2},\ z\sqrt{x^2+y^2+z^2}\right)$ 에 대하여 F의 S에서의 유속 $\iint_S F\cdot\vec{n}dS$의 값은?

① 36π ② 42π ③ 48π ④ 54π ⑤ 60π

22인하

101. 좌표공간에서 $z=xy,\ x^2+y^2\leq 4$로 주어진 곡면 S에 대하여 $\vec{n}$은 $\vec{n}\cdot(0,0,1)>0$을 만족하는 단위법선벡터이다. 벡터장 $F(x,y,z)=\left(-y,x,x^2-y^2\right)$에 대하여 유속 $\iint_S (\nabla\times F)\cdot\vec{n}dS$ 의 값은?

① 12π ② 16π ③ 20π ④ 24π ⑤ 28π

22건대

102. 벡터장 $F(x,y,z)=(1,1,1)$과 반구면 $S: x^2+y^2+z^2=1, z \geq 0$에 대하여 면적분 $\iint_S F \cdot dS$의 절댓값은?

① 1   ② π ③ 4   ④ $\dfrac{3}{2}\pi$ ⑤ 9

22홍대

103. 곡선 $C: y=x^4$ ($x=0$에서 $x=1$까지)을 따라 힘(force)
$\vec{F}(x,y)=(2x+e^{-y})\hat{i}+(4y-xe^{-y})\hat{j}$ 한 일을 구하고자 한다. (가)~(다) 중 옳은 것을 모두 모든 보기를 고르시오.

(가) $\vec{F}$는 보존장이다.

(나) $\vec{F}$는 퍼텐셜 함수 $\phi(x,y)$가 존재하며, $\phi(x,y)=x^2+xe^{-y}+2y^2+k$ (k는 상수)이다.

(다) $\vec{F}$가 곡선 C를 따라 한 일은 곡선 $y=x$ ($x=0$에서 $x=1$까지)를 따라 한 일과 같다.

① (가), (나)   ② (가), (다)   ③ (나), (다)   ④ (가), (나), (다)

104. 곡선 C는 원점 주위로 반시계방향으로 회전하는 곡선이라 할 때,

선적분 $\displaystyle\int_C \frac{2x^3 + 2xy^2 - 2y}{x^2 + y^2}dx + \frac{2y^3 + 2x^2y + 2x}{x^2 + y^2}dy$ 의 값을 계산하면?

① 2π ② 0 ③ π ④ 4π

105.

$F(x,y,z) = yzi + 4xzj + 2xzk$일 때, $\displaystyle\iint_S curlF \cdot ndS$의 값은?

(단, 곡면 S는 평면 $z = 2$ 아래에 놓여있는 구면 $x^2 + y^2 + z^2 = 9$의 부분이고, n은 단위법선벡터)

① -30π ② -20π ③ 15π ④ 35π ⑤ 50π

106.

$\vec{r} = \langle x,y,z \rangle$ 이고 벡터장 $\vec{F}(x,y,z) = \dfrac{\rho \vec{r}}{|\vec{r}|^3}$에 대하여, 곡면 S가 포물면 $z = x^2 + y^2 - 1$와

평면 $z = 1$로 둘러싸인 영역의 경계면일 때, $\displaystyle\iint_S \vec{F} \cdot \vec{N}dS$를 계산하면?

(단, $\vec{N}$의 방향은 곡면밖으로 나가는 방향이다.)

① 0 ② $2\pi\rho$ ③ $3\pi\rho$ ④ $4\pi\rho$

스킬편입수학

107. 제 1 공간상에서 평면 $x=0, y=0$과 원뿔면 $z=\sqrt{x^2+y^2}$, 그리고 평면 $z=1$로 이루어진 입체의 밀도 $\rho=\sqrt{x^2+y^2}$으로 주어질 때, 입체의 질량을 구하면?

① $\dfrac{\pi^2}{12}$ ② $\dfrac{\pi^2}{6}$ ③ $\dfrac{\pi}{24}$ ④ $\dfrac{\pi}{38}$

*원환면 $(torus)$
$r(\theta,\alpha)=(R+r\cos\alpha)\cos\theta i+(R+r\cos\alpha)\sin\theta j+r\sin\alpha k$
$(r: $ 작은 원의 반지름, $R: $ 큰 원의 반지름$)$

스킬편입수학

108. 다음가 같이 정의되는 곡면 S는 도우넛 모양의 원환면($torus$)이다.
$S: X(u,v) = (2 + \cos v)\cos u\, i + (2 + \cos v)\sin u\, j + \sin v\, k$
$(0 \le u \le 2\pi, 0 \le v \le 2\pi)$ 곡면 S의 바깥 방향의 법선벡터를 $\vec{n}$, 벡터장 $\vec{F}(x,y,z) = \langle x, y, z \rangle$
일 때, 면적분 $\displaystyle\iint_S \vec{F} \cdot \vec{n}\, dS$를 구하면?

① $\dfrac{\pi}{2}$ ② $\dfrac{\pi^2}{4}$ ③ 6π ④ $12\pi^2$

109. 다음과 같이 정의된 곡면 S에 대하여 $\displaystyle\iint_S y\, dS$는?
$S: r(\phi, \theta) = ((2 + \cos\phi)\cos\theta, (2 + \cos\phi)\sin\theta, \sin\phi)$
$0 \le \theta \le \dfrac{\pi}{2},\ 0 \le \phi \le 2\pi$

① 6π ② 9π ③ $8\pi^2$ ④ $12\pi^2$

110. 그림과 같은 토러스(torus) S와 벡터장 $\vec{F}(x,y,z) = <y^2, x+y, z+e^y>$에 대하여
면적분이 $\displaystyle\iint_S \vec{F} \cdot d\vec{S} = 2$일 때, 토러스 내부의 부피는?

① 1 ② 2 ③ 3 ④ 4

22성대

111. a와 b가 양수일 때, 나선 $r(t) = (a\cos t)i + (a\sin t)j + btk$ 위의 점 $\left(\dfrac{a}{2}, \dfrac{\sqrt{3}}{2}a, \dfrac{b\pi}{3}\right)$ 에 서의 곡률원의 중심을 구하면?

① $\left(\dfrac{a^2}{2b}, -\dfrac{(a^2+b^2)\sqrt{3}}{2b}, \dfrac{b\pi}{6}\right)$ ② $\left(-\dfrac{b^2}{2a}, -\dfrac{b^2\sqrt{3}}{2a}, \dfrac{b\pi}{3}\right)$

③ $\left(\dfrac{a^2+b^2}{2a}, \dfrac{(a^2+b^2)\sqrt{3}}{2a}, \dfrac{2b\pi}{3}\right)$ ④ $\left(\dfrac{b^2}{2a}, \dfrac{b^2\sqrt{3}}{2a}, \dfrac{b\pi}{3}\right)$

⑤ $\left(-\dfrac{a^2+b^2}{2b}, \dfrac{(a^2+b^2)\sqrt{3}}{2b}, \dfrac{2b\pi}{3}\right)$